国际注册汉语教师资格等级认证参考用书

现代汉语科目
认证指南

■ 本书编著：华建光　刘振平
　丛书主编：沙　江　朱雪峰

Sinolingua
华语教学出版社

First Edition   2010
Fifteenth Printing 2018

ISBN 978-7-80200-986-8
Published by Sinolingua Co., Ltd.
24 Baiwanzhuang Road, Beijing 100037, China
Tel: (86)10-68320585 68997826
Fax: (86)10-68997826 68326333
http://www.sinolingua.com.cn
E-mail: fxb@sinolingua.com.cn
Facebook: www.facebook.com/sinolingua
Printed by Beijing Mixing Printing Co., Ltd.

Printed in the People's Republic of China

前　言

随着中国国力的增强和国际地位的上升，学习汉语的外国人越来越多，"汉语热"持续升温。但是，在这一热潮之下，有一个因素一直制约着汉语的推广，那就是优秀汉语教师的极匮乏。社会上一直流行这样一个认识，以为"会说汉语就会教汉语"，结果对外汉语教师的培训一直没有得到应有的重视。其实，对外汉语教学是一门以汉语言教学为基础，关涉教育学、心理学、文学、艺术等许多学科的交叉学科，所需要的教师当然也需要经过专门培训才能胜任。

作为一名对外汉语教师，首先要对自己所教的内容有比较全面深入的了解，即需要掌握有关现代汉语的本体知识。很多人觉得对外汉语无非就是教外国人跟着自己说而已，没有必要去深究。所以，当学生问为什么的时候，他们总是以"约定俗成"来回答。这正是因为他们对现代汉语"知其然"而"不知其所以然"。要想成为一名合格的对外汉语教师，就必须上升到"知其所以然"的层面，而这就需要全面系统地学习现代汉语的本体知识。

为此我们依据《IPA 国际注册汉语教师认证标准》和中国国家汉办出台的《国际汉语教师标准》编著了该认证指南。在编写过程中，我们力求纲目清晰，重点突出。本书每章包括备考提示、重点知识和备考习题三部分。备考提示简明扼要地点出该章的重点和难点，这样复习时就可以做到有的放矢；重点知识是每章的主体，所讲的知识点都紧扣《考试大纲》，凡常考知识点都标以"★"，难点和容易忽略的知识点则标以"▲注意"，基本术语的定义都用加粗字体标明。这样大家在复习时就可以主次分明，不至于眉毛胡子一把抓。最后一部分是备考习题，这部分一来帮助考生巩固所学，熟悉出题思路和掌握解题方法；二来可以向考生演示如何运用所学的现代汉语知识来分析具体问题。学学现代汉语，不仅是为了顺利通过国际注册汉语教师资格认证，更是为了提高自己的语言分析能力，这样自己在以后的实际教学中，就可以灵活解决所遇到的一些语言问题，从而真正做到教学相长。

最后，希望这本认证指南能让考生复习时事半功倍，在最短的时间内掌握现代汉语学科的精华，从而取得理想的成绩。当然，也希望这本书能让更多的人体会到现代汉语的魅力，让更多的有志之士加入到汉语教学事业中来——毕竟，汉语的推广任重而道远，需要吸纳一批又一批的对外汉语教师。

编者于中国人民大学

2010 年 5 月

目 录

国际注册汉语教师资格等级认证说明

凡符合报名条件的人员，可到本人所在省、自治区、直辖市报名点咨询相关问题，办理报名手续。

一、国际注册汉语教师资格等级认证基本情况

（一）认证时间：每年 1 月、6 月、10 月下旬的周六日。

（二）认证等级：

同一试题，根据认证分数的高低确认等级。每科目满分为 150 分。分初级（90—104 分）、中级（105—127 分）和高级（128 分以上）。【外语除外，只需合格（90 分）即可。】等级就低不就高。

（三）认证科目：

1. 基础综合：含现代汉语（50 分）、中国文化（50 分）、对外汉语教学理论（50 分，其中教案设计 20 分）三部分。

2. 外语：达到 90 分即可。如有相关外语证书，可免考。（见附件）

3. 课堂教学能力测试：见附件。

说明：基础综合和外语科目考试时间为 150 分钟，课堂教学能力测试考试时间为 15 分钟。

（四）认证大纲：见相关科目认证大纲。

（五）认证地点：北京大学、北京师范大学、中国传媒大学、中央民族大学、华中师范大学、沈阳师范大学、中共沈阳市委党校、青岛大学、山东师范大学、郑州大学、云南大学、云南财经大学、黑龙江大学、江苏总工会干部学校、合肥师范学院、东北师范大学、山西师范大学、内蒙古大学、西安教育学院、西安外国语大学、四川大学、西南民族大学、重庆工商大学、华南师范大学、深圳大学、深圳国际人才教育中心、厦门大学、福州师范大学、上海儒森教育进修学校、北京京师环宇国际教育中心等。

二、国际注册汉语教师资格等级认证报名

（一）报名时间：考前两周停止报名。

（二）报名条件：大学专科（含）以上学历或在校大学生大二（含）以上或出国留学人员（凭借留学证明，学历放宽至高中），并且参加过本认证培训者。

（三）报名程序：

1. 报名人员须提交以下材料（材料不齐全者不予受理）：

（1）填写《国际注册汉语教师职业资格认证报名表》一份，并粘贴本人近期 2 吋正面免冠彩色照片。

（2）大学专科（含）以上学历证书复印件（报名时还须出示学历证书原件），在校大学生大二（含）以上学生证复印件（报名时还须出示学生证原件）。学历为高中的出国留学人员需提供留学证明的复印件（报名时还须出示学生证原件）。

（3）身份证或护照复印件（报名时还须出示身份证件原件）。

（4）免考外语者，需交相关证书的复印件（报名时还须出示证书原件）。

（5）另再交 2 寸近期正面免冠彩色照片各三张。

2. 缴纳报名费及认证受理费：见各省市考务中心的信息。

3. 本人因故不能报名的，可以委托他人帮助办理报名手续，受委托人在报名时需出示报名人的委托书原件和报名材料。

4. 准考证于考前五天左右发放。

三、国际注册汉语教师执业资格证书领取

通过 IPA 认证考试的人员，在考试后一个半月左右，就能拿到 IPA 国际注册汉语教师资格等级证书。

四、联系方式

见各省市报考中心及信息网站：www.dwhy123.com，www.dwhy.com.cn。

附件：

1. 外语水平免试的证书列表

下列证书可作为外语水平免试证明，其他外语水平的证明和成绩不作为该项认定有效材料。

（1）国内高等院校外国语言文学专业专科（含）以上学历证书；

（2）2005 年 6 月以前的大学英语四级或六级合格证书或统考口语证；

（3）2005 年 6 月以后的新大学英语四级认证 425 分（含）以上的成绩单；

（4）全国外语水平认证（WSK）（含日语、法语、德语、俄语）成绩合格证书；

（5）全国英语等级认证（PETS）三级（含）以上证书；

（6）2004 年 4 月 20 日（含）以后的 72 分（含）以上托福认证成绩证明或雅思认证 5 分（含）以上成绩证明；

（7）日本语能力测试（JLPT）二级或一级合格证；

（8）德国大学语言能力测试（TestDaf）3 级、4 级或 5 级（TDN3-5）语言证书；

（9）韩国语水平测试（KLT）中级（3 级或 4 级）或高级（5 级或 6 级）合格成绩证明；

（10）全国学士学位英语统一认证成绩合格证；

（11）全国职称外语等级认证成绩合格证；

（12）该外语为其本民族母语，出示有效身份证件；

（13）留学他国的人员，出示在该国学习的毕业证书或相关语言证书或在读证明。

2.课堂教学能力测试说明

满分：150 分　时间：15 分钟

项目	衣着得体	教态从容	普通话标准	讲解正确	时间分配合理	教学方法多样	学生学有所获	总分
得分	7.5	7.5	22.5	30	22.5	37.5	22.5	150

（1）测试目的：

①考察应试者对汉语的词汇、语法、听力、口语教学等所掌握的教学方法运用的熟练程度及随机应变的能力。

②考察应试者普通话水平和上课时的教态、仪表、声音等表现的优劣。

（2）测试要求：

应试者从指定的短文中找出自认为重要的一个词语和一个语法点，在 15 分钟内用 3 种以上的教学方法讲练清楚。讲课时，把下面坐着的学生当作外国留学生，如在真实课堂一样讲课，不是说课。整个过程用摄像机录制，后交于评委集中打分。

国际注册汉语教师资格等级认证大纲
现代汉语

绪论

（一）现代汉语的广义定义和狭义定义

（二）普通话规范的三项标准

1. 语音标准　2. 语汇标准　3. 语法标准

（三）现代汉语七大方言区

1. 北方话　2. 吴方言　3. 闽方言　4. 赣方言　5. 客家方言　6. 湘方言　7. 粤方言

一、语音

（一）普通话语音方面的特点

1. 没有复辅音　2. 元音占优势　3. 有声调

（二）语音四要素

1. 音长、音强、音高和音质的定义

2. 影响音长、音强、音高和音质的因素

（三）发音器官

1. 肺和气管　2. 声带和喉头　3. 鼻腔和口腔

（四）音素、元音和辅音

1. 音素的定义

2. 元音和辅音的区别

3. 国际音标

4. 普通话辅音发音部位和发音方法的描写

（1）唇音：双唇音（重唇音）和唇齿音（轻唇音）

（2）舌尖音：舌尖前音、舌尖中音和舌尖后音

（3）舌面音：舌面前音（舌面音）和舌面后音（舌根音）

5. 普通话元音发音部位和发音方法的描写

（1）舌面元音及舌面元音图

（2）舌尖元音

（3）卷舌元音

（五）普通话的音节结构

1. 辅音声母和零声母

2. 韵母的构成：韵头、韵腹、韵尾

（1）韵头　（2）韵腹　（3）韵尾

3.韵母的分类

（1）四呼：开口呼、合口呼、齐齿呼、撮口呼

（2）前响、中响和后响

4.声母和韵母的拼合规律

（1）从声母角度看

（2）从韵母角度看

5.声调、调值、调类、五度标记法

6.拼写规则

（1）改写　（2）省写　（3）隔音符号　（4）标调法　（5）大写

（六）音变

1.轻声

2.儿化

3.变调

4."啊"的变读

二、汉字

（一）文字的定义、起源和分类

（二）汉字的定义和特点

（三）汉字的字体演变

1.甲骨文和金文

2.大篆和小篆

3.隶书

4.楷书、行书和草书

（四）汉字的造字法分析：六书理论

1.六书的定义

2.象形和指事的区别：有无指示符号

3.会意和形声的区别：有无表音成分

4.形声字的类型以及形旁和声旁的作用

（五）汉字的结构分析

1.笔画和笔顺

2.部件（偏旁）

3.部首

（六）汉字的运用和规范

1.汉字的查检法

（1）部首检字法

（2）笔画检字法

（3）拼音字母检字法

（4）号码检字法

2.繁体字与简化字

3.异体字

4.错别字

（1）错别字的产生原因和分类

（2）常见错别字

三、词汇

（一）词汇

1.词汇的定义

2.普通话词汇方面的特点

（二）语素

1.语素的定义

2.判定语素的方法：替换法

3.语素的分类：

（1）成词语素和不成词语素

（2）定位语素和不定位语素

（3）词根语素和词缀语素

4.语素和字的关系

（三）词

1.词的定义

2.词和语素的区别：剩余法

3.词和词组的区别：扩展法

4.词的分类

（1）单音词和多音词

（2）单纯词和合成词

（3）合成词的构成方式：复合式、附加式和重叠式

（四）固定词组

1.固定词组的定义

2.固定词组和临时词组的区别

（1）结构的稳定性

（2）意义的整体性

3.固定词组的分类

（1）专名

（2）熟语：成语、惯用语和歇后语

（3）缩略语

（五）词义

1. 词义的定义和性质

2. 理性义和色彩义

（1）理性义

（2）色彩义的分类

3. 义项、单义词、多义词和同音词

（1）义项、单义词、多义词和同音词的定义

（2）如何区分多义词和同音词

4. 多义词内部的意义关系

（1）历时分析：本义、转义（相关转义和相似转义）

（2）共时分析：基本义和非基本义

5. 词和词之间的意义关系

（1）同义词的定义和分类

（2）反义词的定义和分类

（3）近义词辨析：语法意义、词汇意义（理性义和色彩义）

（六）汉语词汇的构成

1. 基本词汇和一般词汇的定义和特点

2. 一般词汇的分类

（1）古语词和新造词

（2）方言词和外来词

3. 外来词的分类

（1）音译词

（2）音译兼意译词

（3）音译加意译词

（4）字母外来词

（七）词汇系统的发展变化

1. 新词的产生

2. 旧词的消亡

3. 词义的演变

（1）词义扩大

（2）词义缩小

（3）词义转移

（八）词典和词汇规范化

1. 常用现代汉语词典

2. 词汇规范化的原则和内容

四、语法

（一）普通话语法方面的特点

1. 语序与虚词是主要的语法手段

2. 词、短语、句子的结构原则基本一致

3. 词类和句法成分不是简单的对应关系

4. 量词系统丰富，有语气词

（二）语法概说

1. 语法和语法学

2. 语法的特点

（1）高度的抽象性

（2）强大的递归性

（3）严密的系统性

（4）较高的稳固性

（5）一定的民族性

3. 语法单位

（1）语素

（2）词

（3）词组

（4）句子

4. 语法与语音、词汇、语境、逻辑的关系

（三）汉语词类

1. 词类的定义

2. 词类划分的依据

（1）以语法功能为主：做句法成分的能力和组合能力

（2）兼参形态标准和意义标准

3. 活用、兼类和同音

4. 实词、虚词、体词、谓词

5. 实词分说　各种实词的主要语法功能和分类。

（1）名词的主要语法功能和分类

（2）动词的主要语法功能和分类

（3）形容词的主要语法功能和分类

（4）副词的主要语法功能和分类

（5）区别词的主要语法功能

（6）数词的主要语法功能和分类

（7）量词的主要语法功能和分类

（9）代词的主要语法功能和分类

（10）叹词、拟声词的主要语法功能

6. 虚词分说　各种虚词的语法功能和分类、各类虚词之间的区别及常用虚词辨析。

（1）介词的语法功能和分类

（2）连词的语法功能和分类

（3）助词的语法功能和分类

（4）语气词的语法功能和分类

（5）各类虚词之间的区别

（6）常用虚词辨析

（四）句法结构和句法成分

1. 句法结构：词组结构和句子结构

2. 句法成分

（1）中心语、定语、状语、补语

（2）主语、谓语、动语、宾语

（3）独立语

（4）定语和状语的区别

（5）主语和宾语的区别

（6）宾语和补语的区别

（五）短语

1. 短语的定义和分类

2. 短语的结构类

（六）句子

1. 句子的定义和分类

（1）句子的定义

（2）句子的分类：句类、句型和句式

2. 单句的分类

（1）主谓句：名词谓语句、形容词谓语句、动词谓语句、主谓谓语句

（2）非主谓句

3. 复句的分类

（1）单层复句和多层复句、并列复句和偏正复句

（2）并列复句的具体小类：并列复句、承接复句、递进复句、选择复句、解说复句

（3）偏正复句的具体小类：转折复句、因果复句、目的复句、条件复句、假设复句

（七）短语和单句的结构分析

1. 中心词分析法和层次分析法

2. 各类短语的结构分析

3. 各类单句的结构分析

（八）复句分析

1. 单层复句

2. 多层复句的层次分析

（九）常见语法错误

1. 搭配不当

2. 成分残缺与多余

3. 句式杂糅

4. 语序不当

5. 关联词错用

国际注册汉语教师资格等级认证
现代汉语样卷及参考答案

国际注册汉语教师资格等级认证

现代汉语

一、填空题（共 10 分）

说明：请仔细阅读各题目的要求，并把答案写在相应的横线上。每空 1 分。

1. 在普通话中，表达语法意义的主要手段是语序和_____。

2. 在现代汉语各大方言中，分布地域最广、使用人口最多的方言是_____。

3. 在语音四要素中，区别意义的最重要手段是_____。

4. 在普通话辅音系统中，双唇不送气清塞音是_____（用国际音标书写）。

5. 大篆一般以籀文和_____为典型代表。

6. "骆驼"包含_____个语素。

7. 从词的内部构造来看，"早晚"属于_____式合成词；从语法功能来看，"迟早"的词性为_____。

8. "河"本来的意思是专指黄河，后来却变为泛指所有大的河流，这种词义变化属于_____。

9. 在"我从来就没有跟他说过这件事"这句话中，可以切分出_____个词。

二、改错题（共 20 分）

说明：第 10—14 题是改错题，请仔细阅读各题目的要求，按要求改错。第 10 题 2 分，第 11 题 4 分，第 12 题 6 分，第 13、14 题各 4 分。

10. 改正下列音节的拼写错误，并按照普通话声韵拼合规律加以说明。（每题 1 分，共 2 分）

（1）精 zīng

（2）通 tuēng

11. 根据《汉语拼音方案》，改正下列拼写错误。（每题 1 分，共 4 分）

（1）规则 guēizé

（2）月夜　yuèiè

（3）留洋　lióuiáng

（4）语气　yǔqì

12. 改正下列词语中的错别字。（每题1分，共6分）
　　（1）哀声叹气　（2）赤搏上阵　（3）计日成功
　　（4）义不容词　（5）言简意该　（6）精神焕散

13. 改正下列句子中用词不当的地方并说明理由。（每题2分，共4分）
　　（1）1936年10月19日，鲁迅先生——伟大的革命家、文学家的心脏停顿跳动了，但是他的声音，他的思想，却没有停顿。年轻一代接过他的笔，继续在革命的大道上前进。

　　（2）在村委会选举中，有人闯进会场，说选举不公道，弄得整个会场议论纷纷。

14. 改正下面句子中的语法错误并说明理由。（每题2分，共4分）
　　（1）我们要帮忙他走出这个困难的局面。

　　（2）由于奥运会的成功举行，为广泛深入地开展全民健身活动提供了良好的条件。

三、分析题（共10分）

　　说明：第15—16题，每题各3分，第17题4分，共10分。
　　（一）用层次分析法分析下列句子的结构层次，并标明每层的结构关系。
15. 鲁迅在一篇文章里，主张打落水狗。

16. 在世界各地，保护环境的呼声都很高。

（二）分析下列多重复句。用"|"、"||"、"|||"来切分下列复句，在切分线下面标明关系。
（在原句划分即可）

17. 对自己，学而不厌，对人家，诲而不倦，我们应取这种态度。

四、简答题（共 10 分）

说明：第 18—20 题是简答题，第 18、19 题每题 3 分，第 20 题 4 分，共 10 分。

18. 举例说明什么是音位。

19. 分别举例说明象形、指事、会意、形声四种造字方法。

20. 举例说明什么是反义词的不平衡性。

参考答案

1. 虚词；2. 北方方言（北方话）；3. 音色（音质）；4. [p]；5. 石鼓文；6. 1 ；7. 并列，副词；8. 词义扩大；9. 11。

10.(1) 改为"jīng"。普通话中，"z"等舌尖前声母不能拼"ing"之类的齐齿呼韵母。

  (2) 改为"tōng"。普通话中，韵母"ueng"只拼零声母。

11.(1) guīzé；(2) yuèyè；(3) liúyáng；(4) yǔqì。

12.(1) "哀"改为"唉"；(2) "搏"改为"膊"；(3) "成"改为"程"；

  (4) "词"改为"辞"；(5) "该"改为"赅"；(6) "焕"改为"涣"。

13.(1) "停顿"换成"停止"。整个句子是说鲁迅的心脏永远停止跳动，但他的声音和思想不会停止，"停顿"是中止或暂停的意思，与整个句意不符。

  (2) "公道"改成"公平"。"公道"是书面语，与整个句子的语体不符。

14.(1) "帮忙"改成"帮助"。动宾搭配不当，"帮忙"是不及物动词，不能带宾语。

  (2) 删除"由于"。原句主语残缺。

15.鲁迅 在 一 篇 文章 里，主张 打 落水狗。

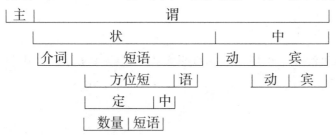

（注："落水狗"可视为词）

16.在 世界 各 地，保护 环境 的 呼声 都 很 高。

17.对自己，学而不厌，对人家，诲而不倦，我们应取这种态度。

  对自己，学而不厌，‖对人家，诲而不倦，｜我们应取这种态度。
  　　　　　　　　　　　并列　　　　　　　　　解说

18.音位是一个语音系统中能够区别意义的最小语音单位。例如现代汉语的"爸（/pA⁵¹/）"和"怕（/p'A⁵¹/）"，两者意义不同，语音区别只在于声母，前者是辅音 /p/，后者是辅音 /p'/。由此可见，现代汉语中的辅音 /p/ 和 /p'/ 有区别意义的作用，所以分立为两个音位。

19."象形"指描绘事物形状的造字法，例如："木"描绘了"树木"的轮廓，来表示"树木"的意思。"指事"指用象征性符号或在象形字上加提示符号来表示某个词的造字法，例如："本"在象形字"木"的下部加提示符号"一"，表示"树根"的意思。"会意"指用两个或两个以上部件合成一个字并用这些部件的意义合成新字意义的造字法，例如："休"由"人"和"木"这两个象形字来合成，勾勒出了"人在树下"的场景，从而会意出了"休息"的意思。形声字指由表示字义类属和表示字音部件组成新字的造字法，例如："沐"的意思是"洗头"，字音是"mù"，其中字义的类属由"水"部件表示，字音则由"木"部件提示。

20. 反义语义场的词总是成对的，但是它们在语义范围或使用频率上并不相等，这体现的就是反义词的不平衡性。有些构成反义关系的形容词在构成"X 不 X"提问格式以及"有 [数量]X"格式的能力上有明显区别。以"厚"和"薄"这对反义词为例，用于问冰层的厚度，一般说"冰层厚不厚"，而不说"薄不薄"。只有在设想或担心其薄时才会问"冰层薄不薄"。回答时一般说"有三尺厚"之类的"有 [数量] 厚"格式，而不说"有三尺薄"之类的"有 [数量] 薄"格式。

绪 论

备考提示

1. 理解和识记现代汉语共同语（即普通话）的三项标准涵义。
2. 大体了解现代汉语方言的分区概况。

知识重点

汉语是汉民族的语言，现代汉语就是现代汉民族所使用的语言。具体来说，现代汉语有狭义和广义之分：狭义上只指现代汉语共同语；广义上包括现代汉语共同语和现代汉语方言。

作为一门基础课程，"现代汉语"教授的是狭义的现代汉语，即通常所说的**"普通话"**；所谓"普通"，取其"普遍共同"之义。1955 年，中国科学院召开了普通话规范问题学术会议，确定把现代汉语共同语称为普通话；会后经多方研究最终确定了普通话的三项标准涵义，即：**以北京语音为标准音，以北方话为基础方言，以典范的现代白话文著作为语法规范**。需要着重指出的是，以北京音为标准音，并不是说所有的北京语音都要吸纳，要排除一些北京话中特殊的土音成分（如"忒难了"中的"忒"是"太"的土音）；在词汇方面，需要排除北方方言中过于土俗的词语（如"苞米"、"朝阳花"）；在语法方面，也要排除过于特殊或纯属作家个人的用法。

现代汉语方言很多，大体上可以为七大方言，即**北方方言（官话方言）、吴方言、湘方言、赣方言、客家方言、闽方言和粤方言**。其中，北方方言分布地域最广，使用人口约占汉民族总人口的 73%。总体上看，汉语方言主要分布在长江以南，这与中国北方多平原南方多丘陵的地理特点不无关系。除此之外，人口迁徙也是形成汉语方言的重要因素。例如，客家方言主要就是经过中原汉民多次迁徙到南方而逐渐形成的。①

不同的方言，在语音、词汇、语法等各个方面都会存在差异。这些差异大到一定程度就会导致相互之间无法通话。为了消除不同方言造成的交际隔阂，就迫切需要推广普通话。需要注意的是，普通话的推广并不以方言的消亡为前提，因为两者之间不是对立关系，而是相互促进关系：一方面，普通话不断从汉语方言中吸收有生命力的成分来丰富和完善自己；另一方面，汉语方言也都不同程度地吸收了普通话的成分，从而日益向普通话靠拢。

---

① 有兴趣更全面深入了解汉语方言者，可参阅袁家骅《汉语方言概要》，语文出版社，2001。

备考习题

1.现代汉民族共同语又叫 _____，它是以 _____ 为 _____，以 _____ 为 _____，以 _____ 为 _____ 的 _____。

2.现代汉语的方言按照历史渊源和目前的特点分为七大方言区，即：北方方言、_____、湘方言、_____、_____、闽方言和 _____。

第一章
语 音

备考提示

1. 本章基本概念较多，要加以识记和理解，尤其要注意区别音素和音位、调值和调类。

2. 本章的重点是音节结构，对任一普通话音节都能指出其声母部分、韵头部分、韵腹部分和韵尾部分。

3. 本章的难点是普通话元音、辅音发音部位和发音方法的描写，要在理解的基础上加以识记。

4. 本章的声韵拼合规律和音节拼写规则一般会出改错题，要加以重视。

重点知识

一、汉语普通话语音方面的特点

语音是人类发音器官发出的用以交际的声音，是具有一定意义的声音。语音是语言的物质外壳，语言要通过语音来传递信息进行交流。普通话在语音方面主要有以下三个特点：

（一）没有复辅音

所谓复辅音，是指一个音节内两个或两个以上辅音的组合。这在印欧语系语言中是很常见的。例如，英语"play（玩）"中的 [pl]，"spring（春天）"中的 [sp]，"box（盒子）"中的 [ks]，"glimpsed（瞥见）"中的 [mpst]。如果两个音节之间辅音相连，就不能算是复辅音。例如，普通话"尽量"中的 [n] 和 [l]，[n] 是前一音节的尾音，[l] 是后一音节的首音，两者分属两个音节，就不是复辅音。

（二）元音占优势

在普通话中，一个音节可以没有辅音，但不能没有元音；一个音节可以只由单元音或复元音构成。例如，"u（乌）"这个音节只有一个元音 [u]；"iou（优）"这个音节只有 [i]、[o]、[u] 三个元音组成的复元音 [iou]。只有极个别音节由于元音弱化脱落，结果只剩下了辅音，如叹词"嗯"就只由单个鼻音构成 [ŋ]。

（三）有声调

在普通话中，每个音节都有一个声调。声调是在音节中能起区别意义作用的音高变化。例如，在"mā（妈）""má（麻）""mǎ（马）""mà（骂）"这四个音节中，音高起了区别意义的作用，就是我们所说的"声调"。

　　根据声调的有无，可以把世界上的语言分成声调语言和非声调语言两大类。所谓非声调语言当然不是说这些语言的音节没有高低升降的音高变化，而是说这些语言中的这种变化不能区别意义。例如，在英语"This is a book"中有个 [buk] 音节，该音节的音高也可升可降，但无论怎么变都不会改变其所代表的意义——"书"。可在汉语"这是书"中，如果把"shu"这个音节音高念成降调，"书"就成了"树"，词义就完全不同。

二、语音四要素

　　同其他声音一样，语音也具有**音高、音强、音长、音质**这四个物理要素。

（一）音高

　　音高指声音的高低，它取决于发音体振动的快慢。振动快则音高就高，振动慢则音高就低。而发音体振动的快慢则由其性状和质地决定。一般来说，大的、粗的、厚的、长的、松的振动慢；小的、细的、薄的、短的、紧的振动快。具体到人的发音体——声带，儿童和女性的一般较小较薄，所以发音比较高；而成年男性的一般较大较厚，所以发音比较低。汉语声调主要就是运用音节的音高变化来区别意义。对语言来说，起区别意义作用的音高是**相对音高**。例如，在发汉语普通话中阴平调时，男子和妇女，老人和小孩的绝对音高是不一样的，但只要相对是一个高而平的声调，就不会使人听成其他的调子。音强、音长也是如此，若拿来区别意义，关注的也是相对音强、相对音长，而不是绝对音强、绝对音长。

（二）音强

　　音强指声音的强弱，它取决于发音体振动的幅度大小。幅度越大则声音越大，幅度越小则声音越小。而发音体的振幅则由发音时用力的大小决定，用力越大则振幅越大。在一段语流中，各音节的音强并不完全相等，有的音节在语流中听起来比较响亮，就是重音音节，有的音节听起来比较微弱，就是轻音音节。在以多音节词为主的语言中，重音往往还起着区别意义的作用。例如，在英语单词"record"中，如果是第一个音节重读就是名词，如果是第二个音节重读就是动词。汉语词大都是单音节和双音节，重音的作用不怎么明显。不过，有些时候轻音在音节中也能起到区别意义的作用。例如，"大意"的"意"读轻声，整个词就是形容词，"掉以轻心"的意思；"意"不读轻声（主要是音强变弱），整个词就是名词，"内容梗概"的意思。"地道"的情况也是如此。

（三）音长

　　音长指声音的长短，它由发音时物体振动的持续时间所决定。振动的持续时间越长声音越长，持续时间越短则声音越短。在汉语音节中，音长一般不作为区别意义的手段，但作为发音时的一个自然属性，经常作为以伴随性特征出现。在有些语言中，音长也可以用于区别意义。例如，英语"sit[sit]"和"seat[si:t]"就是靠 [i] 的长短来区别意义的。"ship（船）"和"sheep（羊）"的情况也是如此。

（四）音质

　　音质又叫音色，是一个音区别于其他音最根本的特征，因而在区别意义中也起着最为重要的作用。它取决于发音时的音波形式。音波不同，音质也就不同。具体来说，发音体不同、发音方法不同、共鸣器形状不同都会导致音质的不同。例如：甲乙两个人读同样的一句话，我们可以听出区别，这是因为两人的声带等发音体不同，因而造成了声音的不同；普通话声母 g[k] 和 h[x] 这两个音，g 是用爆发方法发音，h 是用摩擦方法发音，发音方法不同，因而声音不同；普通话中元音 [a] 和 [i] 的区别，就是两者共鸣器形状不一样，[a] 的共鸣器要比 [i] 的共鸣器大。

三、发音器官

语音是由人的发音器官发出来的，因而具有生理性质。发音器官及其活动决定语音的区别。人的发音器官可以分为三个部分。（参见图1-1）

（一）肺和气管

任何声音都是物体受外力作用发生振动而产生的。气流是发音的动力，呼气时肺是气流的动力站，气管是气流出入的通道。肺部呼出的气流，通过支气管、气管到达喉头，作用于声带、咽腔、口腔、鼻腔等发音器官，经过这些器官的调节而发出不同的语音。

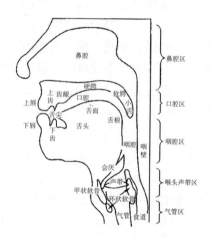

图1-1　发音器官示意图

（二）喉头和声带

气管的上部接着喉头。喉头是由四块软骨构成的圆筒，圆筒的中部附着声带。声带是两片富有弹性的肌肉薄膜，两片薄膜中间的空隙是声门，声门是气流的通道。声带可以放松或拉紧，可使声门打开或关闭。声门打开时，气流可以自由通过；关闭时，气流可以从声门的窄缝里挤出，使声带颤动发出响亮的声音。

（三）口腔和鼻腔

喉头上面是咽腔。咽腔是个三叉口，下连喉头，前通口腔，上连鼻腔。呼出的气流由喉头经过咽腔到达口腔和鼻腔。口腔、鼻腔、咽腔都是共鸣器，对发音来说口腔最重要。

构成口腔的组织，上面的叫上腭，下面的叫下腭。上腭包括上唇、上齿、齿龈、硬腭、软腭和小舌。硬腭在前，是固定的。软腭在后，可以上下升降，软腭后面是小舌。下腭包括下唇和下齿，舌头也附着在下腭上。舌是口腔中最灵活的器官，舌头又分为舌尖、舌面和舌根。舌头的前端是舌尖。自然平伸时，相对着牙齿的部分是舌叶。舌叶后面的部分是舌面。舌面后面的部分是舌根。

上腭上面的空腔是鼻腔，软腭和小舌处在鼻腔和口腔的通道上。软腭上升时，鼻腔关闭，气流从口腔通过，这时发出的声音叫口音。软腭下垂时，口腔中的某一部位关闭，气流从鼻腔通过，这时发出的声音叫鼻音或纯鼻音。如果口腔内无阻碍，气流从鼻腔和口腔同时呼出，这时发出的音同时在口腔和鼻腔中共鸣，叫鼻化音（也叫半鼻音或口鼻音）。

需要注意的是，发音固然需要生理基础，但各种发音器官在瞬间能协同合作，发出所需的音来，需要大脑神经中枢指挥协同，这是一个复杂的心理过程。另外，听觉感知具有很强的心理选择性和概括性。实验证明，人的主观听觉和语音的客观声学效果之间并不总是一对一的关系，语音声学要素的变化并非都能在听觉上得到对等的感知。

四、音素、元音和辅音

（一）基本概念

1. 音素

音素是构成音节的最小单位或最小语音片断。它是从音质角度划分出来的。例如："爸"（bà）从音质的角度可以划分出"b"和"a"两个不同的音素。"刊"（kān）可以划分出"k、a、n"三个音素。

2. 元音和辅音

音素可以分为元音（母音）和辅音（子音）两大类。元音：气流振动声带，在口腔、咽头不受阻碍而形成的音。普通话中有 10 个元音。辅音：气流在口腔或咽头受阻碍而形成的音。普通话中有 22 个辅音。

两者的区别主要有四点：

（1）气流是否受到阻碍，这是两者最主要的区别：发元音时，气流经过咽腔、口腔不受阻碍；发辅音时，发音器官的某一部位形成阻碍，气流必须克服这种阻碍才能通过。

（2）发音部位的紧张状态是否均衡：发元音时，发音器官各个部分的紧张程度是均衡的；发辅音时，只有形成阻碍的部位特别紧张。

（3）气流强弱有别：发元音时，呼出的气流畅通无阻，因而气流较弱；发辅音时，呼出的气流必须冲破阻碍才能通过，因而气流较强。

（4）声带是否振动：发元音时，声带一定振动；发辅音时，声带可能振动，也可能不振动。

（二）记音符号

《汉语拼音方案》和国际音标都是记录普通话语音的有效书写符号系统。

《汉语拼音方案》是 20 世纪 50 年代制定出来的，它在过去各种注音法的基础上发展而来，是我国人民创制各种汉语注音法的经验总结，很适合记录汉语的语音，在推广普通话中发挥着不可替代的作用。拼音方案中一般是一个音素只用一个字母表示，不过，zh、ch、sh、ng 是用两个字母记录一个音素；i 则是一个字母记录了三个元音，一个是舌面元音，一个是舌尖前元音，还有一个是舌面后元音。

国际音标是目前最为通行的记音符号，它的制订原则是"一个音素只用一个音标表示，一个音标只表示一个音素"。国际音标的数量远远超过任何一种语言的拼音字母，可以记录任何一种语言的语音系统，极有利于比较不同语言的语音系统。掌握国际音标对语言教学和语言研究都很有帮助，因此语言文字工作者应该努力学会国际音标。采用国际音标记音时，应在国际音标外加上方括号"[ ]"，具体来说又分宽式音标和严式音标两种：

（1）宽式标音法：同一音位的不同音素，只用一个音标来标记的标音法。如 /a/:[a] [A] [ɑ]。可以把音标数目限制在有限的范围之内。

（2）严式标音法：每一音素（不管它们是否属于同一个音位）都用特定的音标加以标记。

（三）普通话的辅音和元音

1. 辅音系统★

辅音的音质差异取决于发音部位和发音方法。普通话辅音共有 22 个，根据发音部位可以分成以下七类：

（1）双唇音（b、p、m）上唇和下唇阻塞气流而形成的音。

（2）唇齿音（f）上齿和下唇接近阻碍气流而形成的音。

（3）舌尖前音（z、c、s）又叫平舌音，由舌尖与齿背构成阻碍而形成的音。

（4）舌尖中音（d、t、n、l）由舌尖与上齿龈构成阻碍而形成的音。

（5）舌尖后音（zh、ch、sh、r）又叫翘舌音，由舌尖与硬腭前部构成阻碍而形成的音。

（6）舌面前音（j、q、x）又叫舌面音，由舌面前部与硬腭前部构成阻碍而形成的音。

（7）舌面后音（g、k、h、ng）又叫舌根音，由舌根与软腭构成阻碍而形成的音。

普通话辅音在发音方法上的差异主要表现在：构成阻碍与消除阻碍的方式不同、声带颤动与否、送气与否三个方面。

辅音发音过程分成以下三个阶段：成阻、持阻和除阻。根据构成阻碍与消除阻碍的方式，我们可以把普通话的辅音分成以下五类：

（1）塞音（b、p、d、t、g、k）发音时，发音部位完全闭塞，构成阻碍，气流冲破阻碍，迸裂而出，爆发成声。塞音又叫"爆发音"或"破裂音"。

（2）擦音（f、h、x、sh、r、s）发音时，发音部位接近，留有一条窄缝，气流由窄缝中挤出，摩擦成声。

（3）塞擦音（j、q、zh、ch、z、c）发音时，发音部位先是完全闭塞，然后气流把阻塞部位冲开一条窄缝，再由窄缝中挤出，摩擦成声。这类辅音兼有塞音与擦音的特点，前半部分像塞音，后半部分像擦音，前后发音过程紧密结合，形成一个完整的辅音。

（4）鼻音（m、n、ng）发音时，口腔中的发音部位完全闭塞，软腭下降，声带振动，气流从鼻腔通过。

（5）边音（l）发音时，舌尖抵住上齿龈，声带振动，气流从舌头的两边通过。

根据声带是否颤动，可以把辅音分为两类：

（1）清音（b、p、f、d、t、g、k、h、j、q、x、zh、ch、sh、z、c、s）发音时声带不颤动，又叫不带音。

（2）浊音（m、n、ng、l、r）发音时声带颤动，又叫带音。

根据送气不送气，可以把辅音中的塞音与塞擦音分为两类：

（1）送气音（p、t、k、q、ch、c）发音时口腔中呼出较强的气流。

（2）不送气音（b、d、g、j、zh、z）发音时口腔中呼出较弱的气流。

综上，我们可以把这 22 个辅音的发音情况逐个描写如下：

b　双唇、不送气、清、塞音。发音时，双唇紧闭，形成阻碍，较弱的气流冲破双唇阻碍，爆发成声，声带不颤动。例如（划线部分，下同）：bānbù（颁布），biànbié（辨别）。

　　p　双唇、送气、清、塞音。发音情况与 b 基本相同，只是在除阻时口腔呼出的气流较强形成送气音。例如：pīpàn（批判）、pǐnpíng（品评）。

　　m　双唇、浊、鼻音。发音时，双唇紧闭，形成阻碍，软腭下降，打开鼻腔通路，气流由鼻腔通过，声带颤动。例如：měimiào（美妙）、mìmǎ（密码）。

　　f　唇齿、清、擦音。发音时，下唇接近上齿，形成窄缝，气流从窄缝中挤出，摩擦成声，声带不颤动。例如：fāngfǎ（方法）、fēngfù（丰富）。

　　z　舌尖前、不送气、清、塞擦音。发音时，舌尖抵住上齿背，形成阻碍，较弱的气流将阻碍冲开一条窄缝，由窄缝中挤出，摩擦成声，声带不颤动。例如：zìzūn（自尊）、zàngzú（藏族）。

　　c　舌尖前、送气、清、塞擦音。发音情况与 z 基本相同，只是在除阻时口腔呼出的气流较强，形成送气音。例如：cāicè（猜测）、cūcāo（粗糙）。

　　s　舌尖前、清、擦音。发音时，舌尖接近上齿背，形成窄缝，气流从窄缝中挤出，摩擦成声，声带不颤动。例如：sīsuǒ（思索）、sǎsǎo（洒扫）。

　　d　舌尖中、不送气、清、塞音。发音时，舌尖抵住上齿龈，形成阻碍，较弱的气流冲破阻碍，爆发成声，声带不颤动。例如：dàodá（到达）、dǐngduān（顶端）。

　　t　舌尖中、送气、清、塞音。发音情况与 d 基本相同，只是在除阻时口腔呼出的气流较强，形成送气音。例如：tàntǎo（探讨）、tītián（梯田）。

　　n　舌尖中、浊、鼻音。发音时，舌尖抵住上齿龈，形成阻碍，软腭下降，打开鼻腔通路，气流由鼻腔通过，声带颤动。例如：tiándàn（恬淡）、nánduān（南端）。

　　l　舌尖中、浊、边音。发音时，舌尖抵住上齿龈，形成阻碍，气流从舌头两边或一边通过，声带颤动。例如：lǐlùn（理论）、láolèi（劳累）。

　　zh　舌尖后、不送气、清、塞擦音。发音时，舌尖上翘，抵住硬腭前部，形成阻碍，较弱的气流将阻碍冲开一条窄缝，由窄缝中挤出，摩擦成声，声带不颤动。例如：zhèngzhì（政治）、zhōuzhuǎn（周转）。

　　ch　舌尖后、送气、清、塞擦音。发音情况与 zh 基本相同，只是在除阻时口腔呼出的气流较强，形成送气音。例如：chōuchá（抽查）、chūchāi（出差）。

　　sh　舌尖后、清、擦音。发音时，舌尖上翘，接近硬腭前部，形成窄缝，气流从窄缝中挤出，摩擦成声，声带不颤动。例如：shānshuǐ（山水）、shìshí（事实）。

　　r　舌尖后、浊、擦音。发音情况与 sh 基本相同，只是声带颤动，形成浊音。例如：rěnràng（忍让）、róuruǎn（柔软）。

　　j　舌面、不送气、清、塞擦音。发音时，舌面前部抵住硬腭前部，形成阻碍，较弱的气流将阻碍冲开一条窄缝，由窄缝中挤出，摩擦成声，声带不颤动。例如：jiājù（加剧）、jiānjué（坚决）。

　　q　舌面、送气、清、塞擦音。发音情况与 j 基本相同，只是在除阻时口腔呼出的气流较强，形成送气音。例如：qiàqiǎo（恰巧）、quánqiú（全球）。

　　x　舌面、清、擦音。发音时，舌面前部接近硬腭前部，形成窄缝，气流从窄缝中挤出，摩擦成声，声带不颤动。例如：xiǎoxué（小学）、xiànxiàng（现象）。

　　g　舌根、不送气、清、塞音。发音时，舌面后部抵住软腭，形成阻碍，较弱的气流冲破阻碍，爆发成声，声带不颤动。例如：gǎigé（改革）、guānguāng（观光）。

　　k　舌根、送气、清、塞音。发音情况与 g 基本相同，只是在除阻时口腔呼出的气流较强，形成送气音。例如：kāikěn（开垦）、kuānkuò（宽阔）。

　　h　舌根、清、擦音。发音时，舌面后部接近软腭，形成窄缝，气流从窄缝中挤出，摩擦成声，声带不颤动。例如：hánghǎi（航海）、hūhǎn（呼喊）。

　　ng　舌根、浊、鼻音。发音时，舌面后部抵住软腭，形成阻碍，软腭下降，打开鼻腔通路，气流由鼻腔通过,声带颤动。例如:kōngkuàng(空旷)、fēngjǐng（风景）。

2.元音系统★

　　普通话单元音共有 10 个，可以分为舌面元音、舌尖元音和卷舌元音三类。舌面元音是由舌面起主要作用的元音，有 a、o、e、ê、i、u、ü；舌尖元音是由舌尖起主要作用的元音，有 -i(前) 和 -i(后)；er 是卷舌元音。

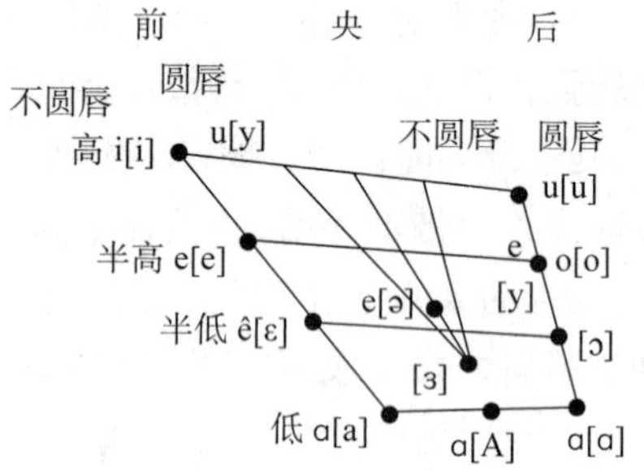

　　（1）舌面元音

　　舌面元音的差异是由口腔形状造成的，具体表现

图 1-2　舌面元音舌位唇形图

在舌位的前后、高低和唇形的圆展。舌位指发音时舌面隆起部分的所在位置。发元音时舌头前伸，舌位在前，这时发出的元音叫前元音；舌头后缩，舌位在后，这时发出的元音叫后元音；发元音时，舌头不前不后，舌位居中，这时发出的元音叫央元音。舌面抬高，和硬腭的距离达到最小时，发出的元音叫高元音；舌面降低，和硬腭的距离达到最大时，发出的元音叫低元音；由高元音到低元音的这段距离可以分为相等的三份，中间有两个点。舌位处在这两个点上时，发出的元音由上而下分别叫做半高元音和半低元音。嘴唇收圆，发出的元音叫圆唇元音；嘴唇展开，发出的元音叫不圆唇元音。普通话各个舌面元音的发音特点可以用元音舌位唇形图来表示，（见图 1-2）。这些舌面元音的发音情况可以逐个描写如下：

　　i[i]　舌面、前、高、不圆唇元音。发音时，口微开，扁唇，上下齿相对，舌头前伸，舌面前部略微隆起，舌尖抵住下齿背，嘴角向两边微展，声带振动。软腭上升,关闭鼻腔通路。例如：bǐjì（笔记）、xítí（习题）。

　　ü[y]　舌面、前、高、圆唇元音。发音时，口微开，圆唇（近椭圆）略向前突，舌头前伸，舌面前部略微隆起，舌尖抵住下齿背，声带振动。软腭上升,关闭鼻腔通路。例:qūyù（区域）、yǔxù（语序）。

　　u[u]　舌面、后、高、圆唇元音。发音时，口微开，圆唇，舌头后缩，舌面后部高度隆起和软腭相对，舌尖置于下齿龈后，声带振动。软腭上升，关闭鼻腔通路。例如:dúwù（读物）、shūhū（疏忽）。

o[o] 舌面、后、半高、圆唇元音。发音时，口半闭，圆唇，舌头后缩，舌面后部略隆起，舌尖置于下齿龈后，声带振动。软腭上升，关闭鼻腔通路。例如：pōmò（泼墨）、bómó（薄膜）。

e[ɤ] 舌面、后、半高、不圆唇元音。发音时，口半闭，扁唇，舌头后缩，舌面后部略隆起，舌面两边微卷，舌面中部稍凹，舌尖置于下齿龈后，嘴角向两边微展，声带振动。软腭上升，关闭鼻腔通路。例如：hégé（合格）、tèsè（特色）。

a[A] 舌面、央、低、不圆唇元音。发音时，口自然大开，扁唇，舌头居中央，舌面中部略隆起，舌尖置于下齿龈，声带振动。软腭上升，关闭鼻腔通路。例如：dǎbǎ（打靶）、fādá（发达）。

ê[ɛ] 舌面、前、半低、不圆唇元音。发音时，口自然打开，扁唇，舌头前伸，舌面前部略隆起，舌尖抵住下齿背，嘴角向两边微展，声带振动。软腭上升，关闭鼻腔通路。在普通话中，ê 只在语气词"欸"中单用。

（2）卷舌元音和舌尖元音

er[ɚ] 卷舌、央、中、不圆唇元音。er 是在 [ə] 的基础上加上卷舌动作而成。发音时，口腔自然打开（是 a[A] 的开口度的一半），扁唇，舌头居中央，舌尖向硬腭中部上卷（但不接触），声带振动。软腭上升，关闭鼻腔通路。例如：ěrduo（耳朵）、értóng（儿童）。

-i[ɿ] 舌尖前、高、不圆唇元音。发音时，口微开，扁唇，嘴角向两边展开，舌头平伸，舌尖靠近上齿背，声带振动。软腭上升，关闭鼻腔通路。该元音只出现在 z、c、s 后面。例如：zìsī（自私）、cǐcì（此次）。

-i[ʅ] 舌尖后、高、不圆唇元音。发音时，口微开，扁唇，嘴角向两边展开，舌尖上翘，靠近硬腭前部，声带振动。软腭上升，关闭鼻腔通路。该元音只出现在 zh、ch、sh、r 后面。例如：shìchǐ（市尺）、zhírì（值日）。

五、普通话的音节结构

（一）音节

音节是语音结构的基本单位，也是自然感觉到的最小语音片断。每次喉部肌肉紧张度增而复减，就形成了一个音节。一般来说，一个汉字的读音就是一个音节。

▲注意：儿化音是两个汉字表示一个音节。

具体来看，普通话的音节有以下几种结构类型（不考虑声调）：

（1）辅音声母＋韵头＋韵腹＋韵尾，如"窗 chuāng"；

（2）辅音声母＋韵头＋韵腹，如"虾 xiā"；

（3）辅音声母＋韵腹＋韵尾，如"该 gāi"；

（4）辅音声母＋韵腹，如"塔 tǎ"；

（5）零声母＋韵头＋韵腹＋韵尾，如"延 yán"；

（6）零声母＋韵头＋韵腹，如"牙 yá"；

（7）零声母＋韵腹＋韵尾，如"偶 ǒu"；

（8）零声母＋韵腹，如"衣 yī"。

概括起来，普通话的音节结构为：**声母／零声母＋（韵头）＋韵腹＋（韵尾）＋声调。**

具体来看，普通话音节具有以下几个特点★：

（1）只有韵腹和声调是必不可少的成分。

（2）最复杂的音节包括四个音素和一个声调。

（3）辅音不能单独出现，没有复辅音。绝大多数只能出现在音节的开头，即声母位置。"n"既可以出现在音节开头，又可以出现在音节末尾。"ng"只能出现在音节末尾。

（4）元音可以连续排列，构成二合、三合元音。

（5）各元音都能充当韵腹，如果是元音连用，一般总是开口度较大、舌位较低的元音充当韵腹。韵头位置只能出现 i、u、ü；韵尾只能出现 i、u。

（二）声母★

发音方法＼发音部位			唇音				舌尖前音		舌尖中音		舌尖后音		舌面音		舌根音	
			双唇音		唇齿音											
			上唇	下唇	上齿	下唇	舌尖	齿背	舌尖	上齿龈	舌尖		舌面前	硬腭前	舌面后	软腭
塞音	清音	不送气音	b[p]						d[t]						g[k]	
		送气音	p[p']						t[t']						k[k']	
塞擦音	清音	不送气音					z[ts]				zh[tʂ]		j[tɕ]			
		送气音					c[ts']				ch[tʂ']		q[tɕ']			
擦音		清音			f[f]		s[s]				sh[ʂ]		x[ɕ]		h[x]	
		浊音									r[ʐ]					
鼻音		浊音		m[m]					n[n]							
边音		浊音							l[l]							

表 1-1 普通话辅音声母总表

声母指音节中位于第一个元音前头的那个音。普通话大多数音节都以辅音打头，这个辅音充当的就是声母，可称为辅音声母。在 22 个辅音中，除 ng 之外，其他 21 个辅音都能充当声母（参见表 1-1）。

此外，有的音节开头的音素不是辅音，即音节的声母为零，语音学上称为"零声母"，这样的音节称为"零声母音节"，如"藕 ǒu"、"昂 áng"等。有了零声母这个概念，可以说普通话里所有音节都有声母，都可以分为声母、韵母两部分。

（三）韵母★

韵母是音节中位于声母后面的部分。普通话共 39 个韵母，见表 1-2。

1. 韵母结构

普通话韵母结构可以归结如下：（韵头）＋韵腹＋（韵尾）。其中：

韵头是韵母发音的起点，发音总是轻而短，介于声母与韵腹中间，故又称为介音。韵头是韵母的可有成分；充当者只能是 i、u、ü。**韵腹**是韵母主干，发音最清晰响亮，故又称为主要元音。韵腹是韵母的必有成分，只能由元音充当，辅音不能充当；当韵母包含多个元音时，由口腔开度最大、声音最响亮的元音来充当韵腹。**韵尾**是韵母发音的终点，又叫尾音。韵尾是韵母的可有成分；充当者只能是 i、u、n、ng。例如：

音节	韵头	韵腹	韵尾
啊 a		a	
今 jin		i	n
瓜 gua	u	a	
巧 qiao	i	a	o
香 xiang	i	a	ng

▲注意 1：ao[ɑu]、iao[iɑu]、ong[uŋ]、iong[yŋ]。

▲注意 2：韵（韵辙）指"韵腹＋韵尾"相同，所以押韵不要求介音相同。

2. 韵母分类

根据不同的标准，普通话韵母可以划分出不同的类型（各类所包含的具体韵母，可参看表 1-2）。

韵母 按结构分 \ 按口形分	开口呼	齐齿呼	合口呼	撮口呼	韵母 按韵尾分
单元音韵母	-i[ɿ][ʅ]	i[i]	u[u]	ü[y]	无韵尾韵母
	a[A]	ia[iA]	ua[uA]		
	o[o]		uo[uo]		
	e[ɣ]				
	ê[ɛ]	ie[iɛ]		üe[yɛ]	
	er[ɚ]				
复元音韵母	ai[ai]		uai[uai]		元音韵尾韵母
	ei[ei]		uei[uei]		
	ao[ɑu]	iao[iɑu]			
	ou[ou]	iou[iou]			
带鼻音的韵母	an[an]	ian[iɛn]	uan[uan]	üan[yan]	鼻音韵尾韵母
	en[ən]	in[in]	uen[uən]	ün[yn]	
	ang[ɑŋ]	iang[iɑŋ]	uang[uɑŋ]		
	eng[əŋ]	ing[iŋ]	ueng[uəŋ]		
			ong[uŋ]	iong[yŋ]	

表 1-2 普通话韵母总表

按照韵母开头元音的不同，可以分成四类，又叫"四呼"，即：开口呼、齐齿呼、合口呼和撮口呼。其中，不以 i、u、ü 为韵腹或不以 i、u、ü 为介音的韵母属于开口呼；以 i 为韵腹或以 i 为介音的韵母属于齐齿呼；以 u 为韵腹或以 u 为介音的韵母属于合口呼；以 ü 为韵腹或以 ü 为介音的韵母属于撮口呼。

按照韵尾，韵母可以先分成无韵尾韵母（15 个）和有韵尾韵母（24 个）。有韵尾韵母又分元音韵尾韵母（8 个）和鼻音韵尾韵母（16 个）。鼻音韵尾韵母又简称为鼻音尾韵母。

鼻音持阻发音,除阻不发音,所以鼻音尾韵母是唯闭音。

只含有元音的韵母(非鼻音尾韵母,即除掉鼻音尾韵母之外的韵母)按照所含元音数量,可以分成单元音韵母和复元音韵母。单元音韵母(10个)由单元音构成,简称单韵母;发音时舌位、开口度、唇形始终不变。复元音韵母(13个)由复元音构成,根据韵腹的位置又可以分为前响复韵母(4个)、后响复韵母(5个)和中响复韵母(4个)。响度大的元音在前的,叫做前响复韵母;响度大的元音在后的,叫做后响复韵母;响度大的元音在中间的,叫做中响复韵母。

3. 韵母发音分析

综合上述分类,我们可以把普通话韵母分成单元音韵母(单韵母)、复元音韵母(复韵母)和鼻音韵母三类。单元音韵母的发音前面已经讲过了,下面分类分析复元音韵母和鼻音韵母的发音。

①复韵母发音分析

复韵母的发音有两个特点。一是元音之间没有明显的界限,整个过程是从一个元音滑向另一个元音。在滑动过程中,舌位的前后、高低和唇形的圆展都在逐渐变动,不是跳跃的,中间有一连串过渡音,同时气流不中断,形成一个发音整体。如发 ai 时,从 a 到 i,舌位逐渐升高、前移,嘴唇逐渐展开,其间包括 a 和 i 之间的许多过渡音。二是各元音的发音响度不同。主要元音的发音口腔开口度最大,声音最响亮,持续时间最长,其他元音发音轻短或含混模糊。

普通话前响复韵母有以下四个:ai、ao、ei、ou;后响复韵母有以下5个:ia、ie、ua、uo、üe;中响复韵母有以下4个:iao、iou、uai、uei。

ai[ai]

发音时,a[a] 是比单元音 a[A] 舌位靠前的前低不圆唇元音。发 a[a] 时,口大开,扁唇,舌面前部略隆起,舌尖抵住下齿背,声带振动。发 ai[ai] 时,a[a] 清晰响亮,后头的元音 i 含混模糊,只表示舌位滑动的方向。例如:àidài(爱戴)、kāicǎi(开采)。

ao[au]

发音时,a[a] 是比单元音 a[A] 舌位靠后的后低不圆唇元音。发 a[a] 时,口大开,扁唇,舌头后缩,舌面后部略隆起,声带振动。发 ao[au] 时,a[a] 清晰响亮,后头的元音 o 舌位状态接近单元音 u,但舌位略低,只表示舌位滑动的方向。例如:àonǎo(懊恼)、cāoláo(操劳)。

ei[ei]

发音时,起点元音是前半高不圆唇元音 e[e],实际发音舌位略靠后靠下,接近央元音 [ə]。发 ei[ei] 时,开头的元音 e[e] 清晰响亮,舌尖抵住下齿背,使舌面前部隆起与硬腭中部相对。从 e[e] 开始舌位升高,向 i 的方向往前高滑动,i 的发音含混模糊,只表示舌位滑动的方向。例如:féiměi(肥美)、pèibèi(配备)。

ou[ou]

发音时,起点元音 o 比单元音 o[o] 的舌位略高、略前,唇形略圆。发音时,开头的元音 o[o] 清晰响亮，舌位向 u 的方向滑动，u 的发音含混模糊，只表示舌位滑动的方向。ou 是普通话复韵母中动程最短的复合元音。例如：chǒulòu（丑陋）、kǒutóu（口头）。

ia[iA]

发音时，从前高元音 i 开始，舌位滑向央低元音 a[A] 结束。i 的发音较短，a[A] 的发音响亮而且时间较长。例如：yājià（压价）、xiàjiā（下家）。

ie[iɛ]

发音时，从前高元音 i 开始，舌位滑向前半低元音 ê[ɛ] 结束。i 发音较短，ê[ɛ] 发音响亮而且时间较长。例如：jiéyè（结业）、tiēqiè（贴切）。

ua[uA]

发音时，从后高圆唇元音 u 开始，舌位滑向央低元音 a[A] 结束。唇形由最圆逐步展开到不圆。u 发音较短，a[A] 的发音响亮而且时间较长。例如：shuǎhuá（耍滑）、wáwa（娃娃）。

uo[uo]

由圆唇后元音复合而成。发音时，从后高元音 u 开始，舌位向下滑到后半高元音 o[o] 结束。发音过程中，唇形保持圆唇，开头最圆，结尾圆唇度略减。u 发音较短，o[o] 的发音响亮而且时间较长。例如：shuòguǒ（硕果）、tuōluò（脱落）。

ue[yɛ]

由前元音复合而成。发音时，从圆唇的前高元音 u[y] 开始，舌位下滑到前半低元音 ê[ɛ]，唇形由圆到不圆。u[y] 的发音时间较短，ê[ɛ] 的发音响亮而且时间较长。例如：quèyuè（雀跃）、yuēlüè（约略）。

iao[iɑu]

发音时，由前高不圆唇元音 i 开始，舌位降至后低元音 a[a]，然后再向后高圆唇元音 u 的方向滑升。发音过程中，舌位先降后升，由前到后。唇形从中间的元音 a[a] 开始由不圆唇变为圆唇。例如：qiǎomiào（巧妙）、xiāoyáo（逍遥）。

iou[iou]

发音时，由前高不圆唇元音 i 开始，舌位后移且降至后半高元音 [o]，然后再向后高圆唇元音 u 的方向滑升。发音过程中，舌位先降后升，由前到后。唇形由不圆唇开始到后元音 [o] 时，逐渐圆唇。例如：yōuxiù（优秀）、niúyóu（牛油）。

uai[uai]

发音时，由圆唇的后高元音 u 开始，舌位向前滑降到前低不圆唇元音 a[a]，然后再向前高不圆唇元音 i 的方向滑升。舌位动程先降后升，由后到前。唇形从最圆开始，逐渐减弱圆唇度，至发前元音 a[a] 始渐变为不圆唇。例如：wàikuài（外快）、shuāihuài（摔坏）。

uei[uei]

发音时，由后高圆唇元音 u 开始，舌位向前向下滑到前半高不圆唇元音 e[e] 的位置，然后再向前高不圆唇元音 i 的方向滑升。发音过程中，舌位先降后升，由后到前。唇形从最圆开始，随着舌位的前移，渐变为不圆唇。例如：chuíwēi（垂危）、guīduì（归队）。

②鼻韵母发音分析

鼻韵母的发音有两个特点。一是元音同后面的鼻辅音不是生硬地结合在一起，而是有机的统一体。发音时，逐渐由元音向鼻辅音过渡，逐渐增加鼻音色彩，最后形成鼻辅音。二是除阻阶段作韵尾的鼻辅音不发音，所以又叫唯闭音。鼻韵母的发音不是以鼻辅音为主，而是以元音为主，元音清晰响亮，鼻辅音重在做出发音状态，发音不太明显。

前鼻音尾韵母指鼻韵母中以 -n 为韵尾的韵母，普通话共有 8 个，即：an、en、in、un、ian、uan、üan 和 uen。韵尾 -n 的发音部位比声母 n- 的位置略微靠后，一般是舌面前部向硬腭接触。后鼻音尾韵母指鼻韵母中以 -ng 为韵尾的韵母，普通话共有 8 个，即：ang、eng、ing、ong、iang、uang、ueng 和 iong。

an[an]

发音时，起点元音是前低不圆唇元音 a[a]，舌尖抵住下齿背，舌位降到最低，软腭上升，关闭鼻腔通路。从 a[a] 开始，舌面升高，舌面前部抵住硬腭前部，当两者将要接触时，软腭下降，打开鼻腔通路，紧接着舌面前部与硬腭前部闭合，使在口腔受到阻碍的气流从鼻腔里透出。口形由开到合，舌位移动较大。例如：fǎngǎn（反感）、tánpàn（谈判）。

en[ən]

发音时，起点元音是央元音 e[ə]，舌尖接触下齿背，舌面隆起部位受韵尾影响略靠前。从央元音 e[ə] 开始，舌面升高，舌面前部抵住硬腭前部，当两者将要接触时，软腭下降，打开鼻腔通路，紧接着舌面前部与硬腭前部闭合，使在口腔受到阻碍的气流从鼻腔里透出。口形由开到闭，舌位移动较小。例如：rènzhēn（认真）、gēnběn（根本）。

in[in]

发音时，起点元音是前高不圆唇元音 i，舌尖抵住下齿背，软腭上升，关闭鼻腔通路。从舌位最高的前元音 i 开始，舌面升高，舌面前部抵住硬腭前部，当两者将要接触时，软腭下降，打开鼻腔通路，紧接着舌面前部与硬腭前部闭合，使在口腔受到阻碍的气流从鼻腔透出。开口度几乎没有变化，舌位动程很小。例如：pīnyīn（拼音）、xīnqín（辛勤）。

ün[yn]

发音时，起点元音是前高圆唇元音 ü[y]，与 in 的发音过程基本相同，只是唇形变化不同。从圆唇的前元音 ü 开始，唇形从圆唇逐步展开，而 in 的唇形始终是展唇。例如：qūnxún（逡巡）、jūnyún（均匀）。

ian[iɛn]

发音时，从前高不圆唇元音 i 开始，舌位向前低元音 a[a] 的方向滑降，舌位只降到半低前元音 ê[ɛ] 的位置就开始升高。发 ê[ɛ] 后，软腭下降，逐渐增强鼻音色彩，舌尖迅速移到上齿龈，最后抵住上齿龈做出发鼻音 -n 的状态。例如：jiānxiǎn（艰险）、tiánjiān（田间）。

uan[uan]

发音时，由圆唇的后高元音 u 开始，口形迅速由合口变为开口状，舌位向前迅速滑降到不圆唇的前低元音 a[a] 的位置就开始升高。发 a[a] 后，软腭下降，逐渐增强鼻音色彩，舌尖迅速移到上齿龈，最后抵住上齿龈做出发鼻音 -n 的状态。例如：guànchuān（贯穿）、

wǎnzhuǎn（婉转）。

üan[yɑn]

发音时，由圆唇的后高元音 ü[y] 开始，向前低元音 ɑ[a] 的方向滑降。（实际上舌位只降到前半低元音 ê[ε] 略后的位置就开始升高。）然后，软腭下降，逐渐增强鼻音色彩，舌尖迅速移到上齿龈，最后抵住上齿龈做出发鼻音 -n 的状态。例如：yuánquán（源泉）、xuānyuán（轩辕）。

uen[uən]

发音时，由圆唇的后高元音 u 开始，向央元音 e[ə] 的位置滑降，然后舌位升高。发 e[ə] 后，软腭下降，逐渐增强鼻音色彩，舌尖迅速移到上齿龈，最后抵住上齿龈做出发鼻音 -n 的状态。唇形由圆唇在向中间折点元音滑动的过程中渐变为展唇。例如：kūnlún（昆仑）、lùnwén（论文）。

ang[aŋ]

发音时，起点元音是后低不圆唇元音 ɑ[a]，口大开，舌尖离开下齿背，舌头后缩。从 ɑ[a] 开始，舌面后部抬起，当贴近软腭时，软腭下降，打开鼻腔通路，紧接着舌根与软腭接触，封闭了口腔通路，气流从鼻腔里透出。例如：bāngmáng（帮忙）、dāngchǎng（当场）。

eng[əŋ]

发音时，起点元音是央元音 e[ə]。从 e[ə] 开始，舌面后部抬起，贴向软腭。当两者将要接触时，软腭下降，打开鼻腔通路，紧接着舌面后部抵住软腭，使在口腔受到阻碍的气流从鼻腔里透出。例如：fēngshèng（丰盛）、gēngzhèng（更正）。

ing[iŋ]

发音时，起点元音是前高不圆唇元音 i，舌尖接触下齿背，舌面前部隆起。从 i 开始，舌面隆起部位不降低，一直后移，舌尖离开下齿背，逐步使舌面后部隆起，贴向软腭。当两者将要接触时，软腭下降，打开鼻腔通路，紧接着舌面后部抵住软腭，封闭口腔通路，气流从鼻腔透出。口形没有明显变化。例如：mìnglìng（命令）、qīngjìng（清静）。

ong[uŋ]

发音时，起点元音是后高圆唇元音 u，但比 u 的舌位略低一点，舌尖离开下齿背，舌头后缩，舌面后部隆起，软腭上升，关闭鼻腔通路。从 u 开始，舌面后部贴向软腭，当两者将要接触时，软腭下降，打开鼻腔通路，紧接着舌面后部抵住软腭，封闭口腔通路，气流从鼻腔里透出。唇形始终拢圆。《汉语拼音方案》规定，为避免字母相混，以 o 表示开头元音，写作 ong。例如：gòngtóng（共同）、lóngzhòng（隆重）。

iang[iaŋ]

发音时，由前高不圆唇元音 i 开始，舌位向后滑降到后低元音 ɑ[a]，然后舌位升高。从后低元音 ɑ[a] 开始，舌面后部贴向软腭。当两者将要接触时，软腭下降，打开鼻腔通路，紧接着舌面后部抵住软腭，封闭口腔通路，气流从鼻腔里透出。例如：xiǎngliàng（响亮）、xiāngjiāng（湘江）。

uang[uaŋ]

发音时，由圆唇的后高元音 u 开始，舌位滑降至后低元音 a[ɑ]，然后舌位升高。从后低元音 a[ɑ] 开始，舌面后部贴向软腭。当两者将要接触时，软腭下降，打开鼻腔通路，紧接着舌面后部抵住软腭，封闭口腔通路，气流从鼻腔里透出。唇形从圆唇在向折点元音的滑动中渐变为展唇。例如：kuángwàng（狂妄）、zhuàngkuàng（状况）。

ueng[uəŋ]

发音时，由圆唇的后高元音 u 开始，舌位滑降到央元音 e[ə] 的位置，然后舌位升高。从央元音 e[ə] 开始，舌面后部贴向软腭。当两者将要接触时，软腭下降，打开鼻腔通路，紧接着舌面后部抵住软腭，封闭口腔通路，气流从鼻腔里透出。唇形从圆唇在向中间折点元音滑动过程中渐变为展唇。例如：zhǔrénwēng（主人翁）、shuǐwèng（水瓮）。

iong[yŋ]

发音时，起点元音是舌面前高圆唇元音 ü[y]，发 ü[y] 后，软腭下降，打开鼻腔通路，紧接着舌面后部抵住软腭，封闭口腔通路，气流从鼻腔里透出。为避免字母相混，《汉语拼音方案》规定，用字母 io 表示起点元音 ü[y]，写作 iong。例如：xiōngyǒng（汹涌）、qióngkùn（穷困）。

4. 声韵拼合规律★

普通话音节由声母、韵母和声调构成，但不是任何声母和任何韵母都可以相拼。构成普通话音节的 21 个辅音声母和 39 个韵母，有机地拼合成 400 多个基本音节。普通话声母和韵母的拼合有很明显的规律，主要表现在声母的发音部位和韵母的四呼关系上，具体情况请参见表 1-3（表中"＋"表示能拼合，"－"表示不能拼合）。由表 1-3 我们可以看出：

能否配合 声母	韵母	开口呼	齐齿呼	合口呼	撮口呼
双唇音	b、p、m	＋	＋	只跟 u 相拼	
唇齿音	f	＋		只跟 u 相拼	
舌尖中音	d、t	＋	＋	＋	
	n、l				＋
舌面前音	j、q、x		＋		＋
舌面后音	g、k、h	＋		＋	
舌尖后音	zh、ch、sh、r	＋		＋	
舌尖前音	z、c、s	＋		＋	
零声母	ø	＋	＋	＋	＋

表 1-3　普通话声韵拼合表

（1）双唇音 b、p、m 除了不与撮口呼韵母相拼外，可以跟开口呼、齐齿呼、合口呼（限于 u）韵母相拼；唇齿音 f 拼合能力最弱，只跟开口呼、合口呼（限于 u）韵母相拼，不跟齐齿呼、撮口呼韵母相拼。

（2）舌尖中音 d、t 不能跟撮口呼韵母相拼，但可以和开口呼、齐齿呼、合口呼韵母相拼；舌尖中音 n、l 拼合能力最强，可以跟开口呼、齐齿呼、合口呼、撮口呼四类韵母相拼。

（3）舌尖前音（z、c、s）、舌尖后音（zh、ch、sh、r）、舌根音（g、k、h）只跟开口呼、合口呼韵母相拼，不跟齐齿呼、撮口呼韵母相拼。

（4）舌面音（j、q、x）只跟所有齐齿呼、撮口呼的韵母相拼，但不跟开口呼、合口呼韵母相拼。

（5）零声母则能跟四呼中所有的韵母相拼。

（6）凡不能和齐齿呼相拼的声母，一律不能和撮口呼相拼；凡能和合口呼相拼的声母，一律可以和开口呼相拼。

上述规律中，凡属某类声母与某类韵母不能相拼的，概无例外；能相拼的，则并非指全部能相拼，还可以存在特殊情况。因此，我们可以从韵母角度出发，归结出以下三条声韵拼合补充条例：

（1）o 只拼唇音；uo、e 只拼非唇音。

（2）ong 只拼非零声母，ueng、er 只拼零声母。

（3）三个 i 也有分工：舌尖前 i 只拼 z、c、s；舌尖后 i 只拼 zh、ch、sh、r；舌面元音 i 拼其他声母。

5. 声调

声调指音节中具有区别意义作用的音高变化。[①] 例如："指导 zhǐdǎo"与"知道 zhīdào"、"看书（kànshū）"与"砍树（kǎnshù）"、"理解（lǐjiě）"与"历届（lìjiè）"，每一组的声母、韵母都一样，只是由于声调不一样，意思也就不一样。

（1）调值

调值指音节高低升降曲直长短的变化形式，即声调的实际读法。

音高有绝对和相对之别，调值只表示相对音高，不表示绝对音高。例如，同是说"kàn（看）"这个音节，一个男人用低调说出，一个女人提高八度说出，尽管用精密仪器测量后的频率是不同的，在别人听起来，意思却完全一样。不仅如此，即使是同一个人，在不同的时间或情绪状态下说"kàn（看）"这个音节，其声音高低也有差异。上述这些音高差异都不具有区别意义的作用，说的都是绝对音高。绝对音高千差万别，无法用确定的数值表示。

相对音高指的是用比较的方法确定的同一基调的音高变化形式和幅度。例如，在用普通话读"kàn（看）"时，无论是成年人、小孩儿，还是男人、女人，皆从其最高音降到最低音，这种"降"就是其升降模式，"从最高音到最低音"是其降的幅度。虽然在实际语流中，儿童的最高音、最低音的绝对音高比成年人的要高，女子的最高音、最低音的绝对音高比男子的要高，但在发某一相同音节时，通过比较，他们的升降模式和幅度是相同的，也即相对音高相同。相对音高是统一的，可以用确定的数值表示，通常的做法是用"五度标记法"：先用一根竖线作为比较线，均分为四格，分别表示"高、半高、中、半低、低"五度，依次用"5、4、3、2、1"来代表，然后在比较线的左边用曲线或直线表示音节的相对音高变化形式和升降幅度。普通话四声的具体调值如下：

一平二升三曲四降：55、35、214、51。

---

① 其实，声调跟音长也有些关系：上声发音持续的时间最长，次长是阳平；去声的发音时间最短，次短是阴平。声调的高低、升降变化是逐渐滑动的，而不是跳跃式的。因此，它的过渡音是连续的、渐变的。

（2）调类和调号

调类就是声调的类别或种类，把调值相同的字归在一起，便为一个调类。 普通话有四种基本调值，因而就归纳为四个调类，这四个调类的传统名称是：阴平、阳平、上声和去声，通常也可简单地叫做：一声、二声、三声和四声。

调号就是调类的书面标记符号，一般标在主要元音上。 《汉语拼音方案》中所规定的调号是：ˉ、ˊ、ˇ、ˋ四种。需要注意的是，普通话中除了阴平、阳平、上声、去声四个调类外，还有一种轻声，如："桌子"、"椅子"里的"子"，"舌头"、"木头"里的"头"，发音都轻而短，其调值不同于上述四声的任何一个。这种轻声不是一个独立的调类，而是一种音变现象。

四个调类及调值、调号可以综合表示如下：

调 类	调 值	调 型	调 号	例 字
阴 平	55	高 平	-	衣 yī 些 xiē
阳 平	35	中 升	ˊ	移 yí 斜 xié
上 声	214	降 升	ˇ	椅 yǐ 写 xiě
去 声	51	全 降	ˋ	易 yì 谢 xiè

表 1-4 普通话调类综合表

（3）调值和调类的关系

普通话与方言、方言与方言之间，调类相同的字，调值并不一定一样，比如"方"，在普通话、济南话、浙江绍兴话中都属阴平类，但在普通话中其调值是55，济南话中的调值是213，浙江绍兴话的调值则是41。另一方面，调值相同的字，可能分属不同的调类。比如调值同是35，在普通话属阳平调，在武汉话里却是去声；调值同是55，在普通话中是阴平，在济南话中则是上声。

6. 音节拼写规则★

（1）以 i、u 为韵腹的零声母音节，i 前添加 y，u 前添加 w。例如：yī（衣）、wū（乌）。以 i、u 为介音的零声母音节，i 改写为 y，u 改写为 w。例如：yāo（腰）、wāng（汪）。

（2）以 ü 为韵腹或介音的零声母音节，ü 前一律添加 y，并将 ü 省写为 u。例如：yū（迂）、yuān（冤）。ü 跟声母 j、q、x 相拼时省写为 u，跟声母 n、l 相拼时仍然写成 ü。例如：jū（居）、qū（区）、xū（虚）、nǚ（女）、lǚ（吕）。

▲注意：y、w 只是起隔音作用的字母（标记而已），不是声母。

（3）"a、o、e"开头的音节，在其他音节后面时，中间要使用隔音符号"'"。例如：pí'ǎo（皮袄）。

（4）韵母 iou 省写为 iu，uei 省写为 ui，uen 省写为 un。

（5）声调标在韵腹上，省写的韵母"iou、uei"标在后面的元音上，"uen"标在前面的"u"上。

（6）按词连写，中间分隔；句首字母大写；专有名词首字母要大写；姓名分写，分别要大写。

六、音位

音位是一个语音系统中能够区别意义的最小语音单位，是按语音的社会属性划分出来的。在一种语言的语音系统里，音素的数量往往要远远地多于音位。例如，在普通话里，音位 /ɑ/ 代表着四个不同的音素 [a]、[ɛ]、[ɑ]、[A]。音位是在实际语境中通过对比和替换而归纳出来的。

（一）音位分类

根据所使用的语音要素，音位可以分成以下两类：

（1）**音质音位（音段音位）**：以音素为材料，通过音质的差别来起辨义作用的音位。其中，从辅音中归纳出来的音位是辅音音位；从元音中归纳出来的音位是元音音位。

（2）**非音质音位（超音段音位）**：通过音高、音强、音长的差别来起辨义作用的音位。包括调位、时位、重位等。

（二）音位变体

音位变体是音位在不同语音条件下的具体表现形式，音位则从音位变体归纳而来。两者之间是一般（类别）和个别（成员）的关系。具体来说，音位变体可以分为自由变体和条件变体两类。

（1）**条件变体**：指出现的语音环境各不相同而又同属于一个音位的两个或多个音素。例如，普通话的 /ɑ/ 音位在不同语音条件下表现为以下四种形式：/ɑ/ 在 [ŋ] 或 [u] 前，表现为 [a]，如 [aŋ]（昂）；零韵尾时表现为 [A]，如 [A]（啊）、[iA]（牙）；在 [i] 后 [n] 前，表现为 [ɛ]，如 [iɛn]（严）；其他语音条件下表现为 [a]，如 [ai]（爱）。

（2）**自由变体**：指可出现在相同语音环境而又同属于一个音位的两个或多个音素。例如，兰州话 [n] 和 [l] 可以自由变读而不改变意义。"泥"和"犁"同音，都既可以读作 $[ni^{31}]$，又可以读作 $[li^{31}]$。

（三）音位归纳原则

音位归纳必须在同一个语音系统内进行，需遵循以下三个基本原则：

（1）**辨义功能（对立原则）**：如果两个音素可以在相同语音环境里出现，互相替换之后产生意义上的差别，这两个音素就构成对立关系，属于不同音位。构成上述差异的语音特征被称作"区别性特征"，如普通话中的送气与不送气。

（2）**互补分布（互补原则）**：分布位置互补，绝不相同。对音位的条件变体而言，不同的变体各有特定的分布位置，这种状况就是所谓的"互补分布"。处于互补状态的语音差异一般不造成音位的对立。

（3）**音感差异（音感原则）**：音感近是合并音位的必要条件，主要合并音位的自由变体；音感远是划分音位的充分条件，主要分别语音差别大的音素。需要注意的是，当处于互补位置的几个音在音感上差别过大时，则不宜归纳为一个同一音位，如普通话的 [m]、[ŋ] 即是。

▲注意1："m 与 n""z/c/s、zh/ch/sh、g/k/h 与 j/q/x"，虽然互补，但当地人的音感差别大，所以不能合并。

▲注意2：轻声是一种音变，而且不能类型化，所以不是独立的调位。

七、音变

音变就是语音的变化，分历时音变和共时音变。此处说的是共时音变。人们说话时，不是孤立地发出一个个音节，而是把音节组成一连串自然的"语流"。在语流中，由于相邻音节的相互影响或表情达意的需要，有些音节的读音发生一定的变化，这就是语流音变，也叫音变。普通话的音变主要包括轻声、儿化、连读变调、语气词"啊"音变等。下面分别来说明它们的音变规律。

（一）轻声

轻声读得又短又轻，是四声的一种特殊音变，而不是独立的第五调。轻声离不开特定的语言环境，只出现于语言组合（如词、短语等）之中。轻声字在词语中读得既短又轻，在物理上表现为音长变短、音强变弱。轻声有时会引起音色变化，如："哥哥"后一个"哥"声母发生浊化；"棉花"中"花"的元音央化（即向央元音 [ə] 靠拢）；"豆腐"的"腐"韵母脱落。

普通话中，有些意义比较虚的词或语素一般读轻声，如：助词"的、地、得、着、了、过"、语气词"吧、嘛、呢、啊"、趋向动词"来、去、起来、下来"、量词"个"、叠音词和动词重叠式的后一音节（娃娃、看看）、后缀"子、头"、表复数的"们"等。

轻声有时可以区别意义和区别词性，比较："孙子兵法"和"宝贝孙子"中的"孙子"，"脑袋瓜子"和"炒瓜子"中的"瓜子"，"大意失荆州"和"段落大意"中的"大意"，"十分利害"和"利害冲突"中的"利害"。

（二）儿化

儿化指在一个音节中，韵母带上卷舌色彩的特殊音变。儿化音节的书写方式为"X 儿"，其中的"儿"字不是一个独立音节，也不是音素，而是标记卷舌的符号。儿化一般会给词带上亲昵的感情色彩，例如：猫儿、老头儿、小淘气儿。有时，儿化也可以起到区别词义和词性的作用：前者如"眼"，不儿化是"眼睛"的意思，儿化则是"小窟窿"的意思；后者如"偷"，不儿化是动词，"偷窃"的意思，儿化则是名词，"小偷"的意思。

（三）连读变调

一般来讲，汉语一个音节对应一个汉字，因此声调又称为"字调"。在单读一个个字时，普通话有四种基本声调，即阴平、阳平、上声、去声，这是字的**本调**。但**每个音节不是一个个孤立的单位，在词语、句子中由于相邻音节的相互影响，有的音节的声调发生了变化，这种音变现象叫做变调。**这里着重介绍普通话上声的变调和叠字形容词的变调。

1. 上声变调

上声在普通话四个声调中音长最长，基本上是个低调，调值为214。上声在阴平、阳平、上声、去声前都会产生变调，只有在单念或处在词语、句子的末尾才有可能读原调。

当轻声音节由上声字构成时，前面的上声音节的变调有两种情况：一是变读为阳平，调值时35，如"等等 děngdeng"的声调为35＋轻声；二是变读为半上，调值是21，如"嫂子 sǎozi"的声调为 21 +轻声。当轻声音节由非上声字构成，前面的上声音节变读为半上，调值是 21，如"寡妇 guǎfu"的声调为 21 +轻声。

当上声音节在阴平、阳平、去声（非上声音节）前，丢掉后半段上升的尾巴，调值由 214 变为半上声 21。例如："保温 bǎowēn"的声调为 21 + 55；"祖国 zǔguó"的声调为 21 + 35；"广大 guǎngdà"的声调为 21 + 51。

当两个上声相连，则前一个上声的调值由 214 变为 35，与普通话阳平的调值相同，而后一个上声保持原来的调值不变。例如："手指 shǒuzhǐ"的声调为 35 + 214。

当三个上声音节相连，如果后面没有紧跟着其他音节，也不带什么语气，末尾音节一般不变调。前两个上声音节有两种变调情况。若词语结构是"双单格"（如"水彩笔 shuǐcǎibǐ"），即 2 + 1 结构，两个上声音节调值均变为 35，跟阳平的调值一样。若词语的结构是"单双格"（如"好导演 hǎodǎoyǎn"），即 1 + 2 结构，开头音节处在被强调的逻辑重音时，读作"半上"，调值变为 21，当中音节则按两上变调规律变为 35。

2. 叠字形容词的变调

形容词重叠一般有 AA 式、ABB 式和 AABB 式三种。有些 AA 式第二个音节原字调是非阴平，后加"儿尾"，重叠的第二个音节变成"儿化韵"；此时第二个音节的调值变为 55。例如："慢慢儿 mànmānr、好好儿 hǎohāor"。至于 ABB 式、AABB 式，当后面两个叠字音节的声调是非阴平时，则调值变为 55，AABB 式中的第二个 A 读轻声。例如："舒舒服服 shūshufūfū"。

（四）"啊"音变

"啊"音变主要是受前一音节末尾音素影响，发生语流同化音变。当"啊"前音节的末尾音素为 [i/ü/o/e/a] 时（如"鸡、鱼、磨、鹅、他"），"a"音变为"ia"，写作"呀"。当"啊"前音节的末尾音素为 [u] 时（如"苦"），"a"音变为"ua"，写作"哇"。当"啊"前音节的末尾音素为 [n] 时（如"难"），"a"音变为"na"，写作"哪"。当"啊"前音节的末尾音素为 [ŋ] 时（如"香"），"a"音变为"ŋa"，写作"啊"。当"啊"前音节的末尾音素为舌尖前 i、舌尖后 i、er 时（如"是、次"），"a"音变为"ra"，写作"啊"。

备考习题

1. 元音和辅音的主要区别在于：发元音时，_____；发辅音时，_____。

2. 普通话 22 个辅音中，既可以作声母，又能作韵尾的辅音是 _____。

3. 在普通话音节中，能充当介音但不能充当韵尾的元音是 _____。

4. "chuāngtái"这两个音节包含 _____ 音素。

    A. 9 个   B. 8 个   C. 7 个   D. 6 个

5. "zhuāng（庄）"这个音节 _____。

    A. 由六个字母六个音位组成

    B. 由六个字母三个音位组成

    C. 由六个字母三个辅音音位两个元音音位组成

D. 由六个字母两个辅音音位两个元音音位组成

6. 普通话辅音音位共有 _____。

　　A. 20 个　　　　　B. 21 个　　　　　　C. 22 个　　　　　　D. 23 个

7. 舌面音是指 _____。

　　A. z、c、s　　　B. j、q、x　　　　C. zh、ch、sh　　D. b、d、g

8. 下列各字中与"兔"的声母发音部位相同的是 _____。

　　A. 铺　　　　　　B. 注　　　　　　C. 护　　　　　　　D. 路

9. 普通话 [tou51fu214]（豆腐）快读是 [tou51f1]，这种现象是 _____。

　　A. 减音　　　　　B. 异化　　　　　C. 弱化　　　　　　D. 脱落

10. 普通话共有 _____ 个声母。

　　A. 20 个　　　　　B. 21 个　　　　　C. 22 个　　　　　　D. 23 个

11. 声调符号一般要求标在 _____。

　　A. 韵母上　　　　　　　　　　　　B. 主要元音上

　　C. 任何地方都可　　　　　　　　　D. 韵头上

12. 有的学生将"吃饱"读成"qībǎo"。请从发音的角度进行分析。

13. 说明下列各组声母或韵母发音的异同。

　　（1）f－h　　　　　　　　　（2）b－m

　　（3）e－o　　　　　　　　　（4）an－ang

14. 根据普通话的声韵拼合规律，分别说明下列拼音错误的原因并加以改正。

　　（1）hó（河水）　　　　　　（2）gǐ（几个）

　　（3）puó（婆）　　　　　　　（4）jāng（江）

　　（5）luéng（龙）

15. 分析下列汉字的调值和调类。

　　（1）高明　　　　（2）说话

16. 根据普通话音节拼写规则改正下列音节的拼写错误。

　　（1）演员 iǎnuán　　　　　　（2）疑案 íàn

　　（3）亏心 kuēixīn　　　　　　（4）画儿 huàér

17. 根据《汉语拼音方案》写出下列词语的拼音。

　　（1）蜿蜒　　　　　　　　　（2）照片儿

　　（3）空额　　　　　　　　　（4）回流

18. 根据《汉语拼音方案》给下列词语中加点字注音。

　　（1）漂浮　　　　漂洗

　　（2）和平　　　　附和

19. 分析下面两个词语可能存在的变调形式。

　　（1）好雨伞　　　　　　　（2）展览馆

20. 普通话的声母共有多少个？按发音部位的不同可以分为哪几类？请举例说明。

21. 普通话的舌面单韵母有哪几个？请加以具体描写。

22. 根据《汉语拼音方案》写出下列词语的拼音。

    （1）西安　　　　　　　　　（2）回流

    （3）因为　　　　　　　　　（4）篝火

    （5）平安　　　　　　　　　（6）酝酿

    （7）亲家　　　　　　　　　（8）凤凰

    （9）天津　　　　　　　　　（10）一会儿

23. 普通话中 zhi（知）、zi（资）、ji（机）三个音节的韵母在发音上有什么不同？上述三个韵母用国际音际怎么标写？

24. 说明语气词"啊"与"去、看、哭、纸、唱"连读时发生的音变现象，并分析音变的原因。

第二章
汉 字

备考提示

1. 本章基本概念不多，主要有汉字、象形、指事、会意、形声、部件、部首等。
2. 本章的重点是错别字改正，一般会以改错题形式来考查。
3. 本章的难点是运用前四书具体分析汉字的造字法，关键在于区分象形和指事、会意和形声。

重点知识

一、文字概说

（一）文字的起源和演变

文字是语言的书写符号系统，即系统地用一定的书写符号来记录语言中一定的语言单位。

文字起源于图画，和结绳没有直接关系。在文字诞生以前，结绳只是人类使用过的一种记数、帮助记忆和起提示作用的工具。文字是在语言之后产生的，是社会进化、语言成熟的产物。它突破了语言在时间与空间上的限制，扩大或延伸了语言的功能。有了文字，才有了书面语；有了书面语，人类的文明才得以延续和传播。因此，文字是人类摆脱蒙昧、进入文明的重要标志。

文字系统的形成是一个相当长的历史过程，整体趋势是线条化和简化。常见的古文字除汉字之外，还有古苏美尔文字、古埃及文字和腓尼基文字。

1. 古苏美尔文字

大约在公元前4000年，两河流域出现了高度象形、同时有部分表音字符的古苏美尔文字。公元前3500－公元前2000年，该文字向四周传播时，象形的基本字符越来越少，但还是属于词语文字，同时也是意音文字。

2. 古埃及文字

古埃及文字在公元前3000年左右就已经出现，一直属于词语文字和意音文字。古埃及文字按使用场合分为碑铭体、僧侣体和平民体。

3. 腓尼基文字

大约在公元前2000年，中东的闪族人在古埃及文字基础上发明了辅音音位文字——腓尼基文字。该文字后来向四周传播时，促成了希腊－拉丁字母系统的产生。

从总体上看，文字发展大致经历了"象形文字→音节文字→音位文字"的演变顺序，但这并不意味着各种文字有高低优劣之分，只要能胜任记录语言的任务，就是好的文字系统。

（二）文字类型

文字记录语言可以有两种方法。一种是先用字符记录还没有和意义结合的音位或音节，然后通过字符组合来建立文字与词语的联系。采取这种记录方法的文字就是表音文字，如拉丁文、斯拉夫文和日文等。表音文字是用几十个符号（字母）来表示一种语言里有限的音位或音节，一般是一个符号代表一个特定的音。语言中所有词语都由这几十个符号拼合而成。人们只要掌握了字母的读音及拼写规则，即可读出词语的实际音来。另一种方法是据义构形，直接用字符或字符组合来记录实现音义结合的词语。采取这种记录方法的文字就是表意文字。这种文字会用大量的表意符号来记录语言中的语素或词，这些符号本身不能显示词语的读音信息。

二、汉字特点及其字体演变

（一）汉字的定义

汉字是自源文字，是汉民族创有制的记录汉语的书写符号系统，是世界上最古老的文字之一。殷商时代的甲骨文，距今已有三千多年。甲骨文无论在形体上还是构造上都可以说是成熟的文字。可以推断，汉字的产生时间要远早于殷商。

（二）汉字的特点

音有限而意无穷，汉字起初以表意为主，这直接导致了汉字形体繁杂、数量惊人的特点。随着词义引申和语词的不断衍生，表意字在记录词语上的局限日益突出。于是，假借现象应运而生，以济字形之穷。但是，假借违背了汉字形义统一的原则，而且会造成大量一字多词现象。于是，一半表音一半表意的形声造字法应运而生。该方法巧妙地实现了汉字形音义的平衡，因而迅速成了汉字的主流造字法。这样，现代汉字无疑已经是意音文字，而不是单纯的表意文字。

具体来看，现代汉字的特点可以归结为以下五点：

（1）记录语素；

（2）以形声字居多，故又称为意音字，有少量记号字；★

（3）结构复杂，是平面型文字；

（4）汉字具有一定的超时空性；

（5）汉字记录汉语，不实行分词连写。

（三）汉字的形体演变

汉字形体经历了隶定、楷化、简化等重大变革，其演变的总趋势是：由象形到不象形，表意功能萎缩，字形符号化；由不定型到定型，由繁体到简体，笔画线条化和简单化，书写方便简洁；结构规范化、固定化，异体字大大减少。

1. 甲骨文和金文

甲骨文和金文的形体差异主要是由书写材料不同造成的。甲骨文又名契文，指殷商时代刻写在龟甲和兽骨上的文字，距今约三千年。目前，甲骨共发掘出约十万片，全部单字为 4500 个左右，已经释读出的约 1000 个，其余未释读出的多为地名、人名和族名用字。大体来看，甲骨文具有以下特点：①以象形字、会意字居多，但已拥有一定数量的形声字（20%）；②存在大量异体字，尤其是象形字，一个字常有多种写法，合体字中偏旁位置不大固定，往往可以互换；③笔画细瘦，线条苍劲，多方笔与直笔，字形瘦长且大小不一。

先秦称铜为"金"，金文即指浇铸在青铜器上的文字。由于青铜器以钟鼎居多，故金文又称钟鼎文。青铜器早见于殷商，盛于周代，战国也不乏见。较之甲骨文，金文具有以下特点：①象形性差，线条化明显，形声字多，是一种更为成熟的形体；②异体字数量比甲骨文已经大为减少；③笔画丰满粗壮，多圆笔，字形匀称，渐趋方块形。

2. 篆书

篆书一般有大篆和小篆之分。大篆一般指春秋战国之际秦国的文字，以籀文和石鼓文为主。籀文因著录于《史籀篇》（已失传）而得名。石鼓文以篆刻于石鼓上而得名。大篆直接脱胎于金文，故尚有较浓的金文痕迹，但笔画更趋均匀，字形更趋整齐。

小篆由大篆发展而来，传说为秦相李斯所作，是秦统一六国后作为"书同文"的产物而采用的全国标准字体。推行小篆是汉字发展史上的第一次汉字规范化运动。较之大篆，小篆字形更为匀称整齐、统一，更为简化和定型，异体字也大为减少。小篆正式通行的时间不长，汉代即被隶书取代。但在历代印章制作中，小篆仍占据一席之地。

3. 隶书

隶书分秦隶和汉隶两种。此处的"隶"不是指一般所谓的奴隶或徒隶，而是指政府中的下级官吏。秦隶又称古隶，始于秦代，是小篆的一种省变体，目的是宜于日常急用。秦代篆隶并用，小篆是规范的正体，隶书是应急的俗体。秦隶笔画敛束，无飞扬之势，因源自小篆，故保留了较多的篆书特征。与前代文字相比，秦隶在形体上实现了根本的转变，即基本摆脱了汉字象形的意味，可谓是古文字与今文字的分水岭。汉隶又称今隶，由秦隶进一步演变而来，通行于两汉的大部分时期。汉隶字体扁平，笔画有波势，使汉字结构更趋简化和定型，奠定了现代汉字的基础。

4. 楷书、草书和行书

楷书又称真书和正书，"楷"是模范、标准的意思。楷书兴于汉末，盛于魏晋南北朝。楷书由隶书省改而来：波势改为平直，扁平改为方正。楷书一直沿用至今，是通行时间最长的标准字体。

广义的草书是指比正式字体写得潦草的字体。因此，草书是一种辅助性字体。可以说，所有正式字体包括甲骨文、篆书、隶书和楷书都存在相应的草体。通常所谓的草书则专指章草、今草和狂草三种。章草是隶书的草写体，因盛行于东汉章帝时而得名，其特点是笔画带草意，多连笔，但字字独立，不相牵连，明显保留了汉隶的波势。今草是楷书的草写体，始于唐代，其特点是笔画连接，字体连绵，一笔到底，一气呵成，无章草的波势。狂草起于唐代，书写诡奇多变，极难辨认（有的书写者甚至不识己书），如张旭、怀素的作品等。狂草没有实用性，在书法艺术领域却有独特的美学价值，所谓"翩若惊鸿，矫若游龙"。草书均有一定的章法，不可任意而为。

行书产生于东汉末年，始于楷书之后，介于楷书和草书之间，兼得二者之妙，近楷不拘，近草不放，好写易认，方便实用。行书又分行楷、行草二类，前者近于楷书，后者近于草书。行书是应用最广泛的手写体。

5. 现行汉字的形体

从形成手段看，现行汉字有手写体和印刷体两种。行书主要应用于日常书写，楷书在印刷品中占据主流。汉字的印刷体习惯上只指楷书的以下各种变体：宋体（老宋体、古宋体）、仿宋体（真宋体）、楷体（大宋体）、黑体（黑头字、方头字）。印刷体按字体大小分为不同的字号，大到初号，小到七号。

三、汉字的构造

（一）构造单位

现行汉字的构造单位有两级：一是笔画，二是部件（偏旁）。

1. 笔画和笔顺

笔画是构成汉字的最小单位，是构成汉字的各种点与线，分为单一笔画（点、横、竖、撇、捺、提）和复合笔画（撇类、点类、提类、折类、钩类、弯类，6类25种）。汉字的基本笔画历史上被称为"永字八法"，现代则定为五种，即：横、竖、撇、点、折。其中前四种是单一笔画，最后一种是复合笔画。笔画的组合方式有三种，即：相离（如"二"）、相接（如"人"）和相交（如"十"）。

笔顺是指笔画书写时的先后顺序。汉字笔顺的基本原则是：先横后竖（如"干""王"）、先撇后捺（如"人"、"八"）、从上到下（如"星"、"章"）、从左到右（如"阴"、"玲"）、从外到内（如"周"、"同"）、从外到内后封口（如"田"、"围"）、先中间后两边（如"小"）。

2. 部件与部首

部件又叫偏旁，是构成合体字的基本单位。部件按现在能否独立成字，可划分为成字部件（如"日"）和不成字部件（如"艹"）；按能否再切分为更小部件分为单一部件（如"分"）和复合部件（如"湖"）；按部件切分出的先后划分为一级部件、二级部件等等。例如"湖"字中，"胡"是一级部件，再往下又可以划出"古"、"月"两个二级部件。

部件组合方式主要有以下四种：

左右结构，如："新、河、灯、矿、跑"等。

上下结构，如："岳、芳、宇、翠、竿"等。

全包围结构，如："国、回、囤、固、圈"等。

半包围结构，如："风、凶、医、送、闷"等。

部首是具有字形归类作用的偏旁，是字书中的各部的首字。作部首的汉字部件大多具有表意作用。用部首给字归类始于东汉许慎的《说文解字》。许氏首创540部，明代梅膺祚的《字汇》归并为214部，后来的《康熙字典》、《中华大字典》、《辞源》、《辞海》均加以沿用。《新华字典》调整为 189 部,新《辞海》为 250 部,《汉语大词典》和《汉语大字典》则为 200 部。

3.构造方式★

对汉字的构造方式,传统上有"六书"之说。汉人"六书"有三说:

班固:象形、象事、象意、象声、转注、假借

郑众:象形、会意、转注、处事、假借、谐声

许慎:指事、象形、形声、会意、转注、假借

后世一般依班说的顺序,而取许说的名称,即:象形、指事、会意、形声、转注和假借。"六书"对汉字教学大有裨益,因为掌握了汉字构造,就可以避免写错字（如"寇"与"冠"）,帮助理解词义（如"纍"）。而且,联系字形往往是寻求本义的最佳途径。一般认为,前四书为造字法,后二书为用字法。这里先列表简单分析如下:

名称	功能	含义	所表对象	属字		例字
				结构	表音表意	
象形	造字	描绘物体轮廓,突出物体特征。	整体实物	独体	表意	日、月、牛、马、一、大
指事		运用象征性符号表达抽象概念或在象形字的基础上加指示性符号,指出"事"之所在。	局部实物抽象概念			上、下、本、末、刃
会意		两象形字结合,共同表达新意思,分会形合成与会义合成。	动作状态	合体		呆、東、杳、休、相武、信、歪、尖、臭
形声		形符表义,声符表音。	不限		表音＋表意	访、陵、都、景、贱、经
转注	用字	建类一首,同意相授。争论很多。	不限			考、老
假借		本无其字,依声托事。	抽象概念			令、长、之、夫、朋

（1）象形（独体字）

象形是描绘事物形状的造字法。许慎将其定义为"画成其事,随体诘诎"。象形字源自图画,但与图画有本质的区别;它是汉字的先行者,构成了汉字的基础。象形法的缺陷是:复杂的事物难以象形、抽象的事物无法象形、近似的事物不便区别。由于汉字形体的变迁,绝大部分的象形字已丧失象形的意味,只有极少数的字如"井、田、伞、雨、网"等尚依稀可辨。因此,我们今天说某字象形,实际上大都是就它的古字形来说的。例如:

| 日 | 月 | 雨 | 山 |

（2）指事（独体字）

指事是用象征性符号或在象形字上加提示性符号来表示某个意义的造字法。许慎将其定义为"视而可识，察而见意"。指事法的优势是可以表示一个抽象的概念。由于汉字形体的变迁，绝大部分指事字今天已经很难看出其原先所用的造字法。因此，我们今天说某字象形，实际上也大都是就它的古字形来说的。例如：

| 上 | 下 | 刃 | 本 |

（3）会意（合体字）

会意是用几个偏旁合成为一个新字的方法，新字的意义由偏旁融汇而成。许慎将其定义为"比类合谊，以见指挘"。会意建立在人们的联想和推理的基础上。例如：

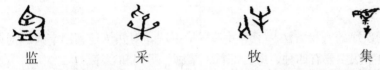

| 监 | 采 | 牧 | 集 |

具体来看，会意字可分为同体会意字与异体会意字，前者由同一个表意偏旁叠用构成，如"林、从、棘、炎、磊、森、轰"等，后者由不同的表意偏旁组合而成，如"莫、武、休、取、明、涉、益、囚、见、北、兵、看、臭"等。

（4）形声（合体字）

形声是由表字义类属的形旁（意符）和表读音的声旁（声符）组成新字的方法。许慎将其定义为"以事为名，取譬相成"。形声字的形旁表示字意义的类属，声旁表示字的读音，这样就既表音又表意，兼得二者之妙，因而具有极高的能产性。甲骨文仅20%的形声字，现代汉字则占90%以上。

根据形旁和声旁的相对位置，形声字主要有以下六种。

左形右声，如"河、谈、梧、惜、冻"等。

右形左声，如"都、胡、切、攻、战"等。

上形下声，如"芳、宇、竿、翠、窍"等。

下形上声，如"型、贷、勇、架、袋"等。

外形内声，如"阁、囿、匣、裹"等。

内形外声，如"闻、问"等。

▲注意1：同样的形旁、声旁，因为位置不同而组合成不同的形声字。如："架、枷"。

▲注意2：刀、心的变形掌握，如："辨、恭"。月一般是肉的变形，如："肺、背"。

附：字符理论

现代汉字存在大量既不表音也不表意的记号，因此分析现代汉字字形，六书并不是很适用，这时我们可以运用字符理论来弥补。所谓字符就是文字符号，是文字最基本的单位，也是直接跟某种语言单位相联系的符号，如汉字和拼音文字的字母。

根据功能，字符又可归纳为三类：意符、音符和记号。意符是跟文字所代表的语言单位在意义上有联系的字符。音符是跟文字所代表的语言单位在语音上有联系的字符。记号是跟文字所代表的语言单位在语音和意义上都没有联系的字符。字符分析必须结合具体字来分析。一个字符到底起什么作用，视其具体所构造的字才能确定。例如，字符"力"在"功"字中是意符，在"历"字中是音符，而在"边"字中则是记号。又如，字符"火"在"灾、炎、灭"三字中是意符，在"伙"字中是音符，而在"灵"字中则是记号。

根据字符理论，现代汉字可以分为以下四大类七小类：

1. 记号字：独体记号字（如"舟"）和合体记号字（如"莫"）。
2. 半记号字：半意符半记号字（如"鸡"）和半音符半记号字（如"趣"）。
3. 表意字：独体表意字（如"井、田"）和合体表意字（如"杳、牧"）。
4. 意音字（如："忆、吐"）。

四、汉字的使用

（一）检字法

检字法是汉字排列次序的查检方法。了解并掌握检字法，对熟练地利用字典、词典这类工具书很有帮助。检字法主要有四种，即：部首、笔画、号码和音序。

1. 部首检字法

以汉字的部首作为编排检字的方法叫部首检字法，由东汉许慎《说文解字》首创，清代的《康熙字典》以及旧版的《辞源》、《辞海》等都是沿用这种方法。部首的排列顺序以部首本身的笔画多少为准，少的在前，多的在后；同一部首字的排列顺序，也以字的笔画多少为准。部首检字法利用了汉字的结构特点，易于掌握。但由于汉字的结构复杂，部首没有固定的位置，有些字从字形上辨认不出该属于哪一部；为了弥补这一不足，有的字典、词典附有难检字表，或汉语拼音索引。

2. 笔画检字法

将汉字的笔画数和笔形结合起来编排检字的方法叫笔画检字法。先按笔画多少将字加以排列，少的在前，多的在后；笔画数相同的字，再按起笔的形状（横、竖、撇、点等）依次编排；起笔相同者再根据第二笔的笔形顺序排列，依次类推。使用这种检字法的工具书很少。

3. 号码检字法

将汉字的笔形编成号码，再按号码查字的方法叫号码检字法，以"四角号码"检字法为代表。它把汉字的笔形归纳为十种，每种用一个号码代表。每个字取四角的笔形，用四个阿拉伯数字作为代码。四个代码依左上、右上、左下、右下的顺序组成。这种方法掌握熟练以后，查字较快。《四角号码新词典》就是用这种方法编排的。

4. 音序检字法

按照字音的字母顺序来检字的方法叫音序检字法。这种方法将汉字按照汉语拼音字母的顺序加以排列：先按照声母，同声母者按照韵母和声调，同音字再进一步按笔画多少或笔形顺序来排列。现在普通话日益推广，汉语拼音方案已经为愈来愈多的人所掌握，所以这种方法运用得最为广泛，《新华字典》、《现代汉语词典》等就是用这种方法编排的。

（二）掌握简化字

在书写过程中，为了追求速度和便捷，有时就会简化汉字的写法，尤其是笔画。因此，简化字在汉字演变史中并不算什么新奇的事物。不过，大规模、有计划、成批量的简化汉字主要还是建国后的事情。建国后，国家曾制定过两个简化方案：一个是 1964 年的《简化字总表》（以下简称"一简"），另一个是 1977 年推出的《第二次汉字简化方案》（以下简称"二简"）。"一简"一经推出，在社会上迅速推广开来，"二简"则带来了极大的用字混乱，遭到了不少人的强烈反对。1986 年 6 月，国务院批准了国家语委《关于废止 < 第二次汉字简化方案（草案）> 和纠正社会用字混乱现象的请示》，"二简字"从此被停止使用。为便于人们正确使用简化字，同年 10 月，国家语委经国务院批准重新发布了《简化字总表》，并做了个别调整。调整后的《总表》，实收简化字 2235 个，不仅精简了汉字系统的字数和许多字的笔画，而且为人们确立了一个明确的字体规范，大大方便了群众对汉字的学习和使用，对于消除社会用字的混乱现象发挥了重大作用。使用简体字，应当以此表为主要标准。

简化字总表包括三个表。第一表收不作简化偏旁用的 350 个简化字，即（按音序排列）：

碍 [礙]	搀 [攙]	聪 [聰]	矾 [礬]	谷 [穀]	还 [還]
肮 [骯]	谗 [讒]	丛 [叢]	范 [範]	顾 [顧]	回 [迴]
袄 [襖]	馋 [饞]	担 [擔]	飞 [飛]	刮 [颳]	伙 [夥]
坝 [壩]	缠 [纏]	胆 [膽]	坟 [墳]	关 [關]	获 [獲]
板 [闆]	忏 [懺]	导 [導]	奋 [奮]	观 [觀]	[穫]
办 [辦]	偿 [償]	灯 [燈]	粪 [糞]	柜 [櫃]	击 [擊]
帮 [幫]	厂 [廠]	邓 [鄧]	凤 [鳳]	汉 [漢]	鸡 [鷄]
宝 [寶]	彻 [徹]	敌 [敵]	肤 [膚]	号 [號]	积 [積]
报 [報]	尘 [塵]	籴 [糴]	妇 [婦]	合 [閤]	极 [極]
币 [幣]	衬 [襯]	递 [遞]	复 [復]	轰 [轟]	际 [際]
毙 [斃]	称 [稱]	点 [點]	[複]	后 [後]	继 [繼]
标 [標]	惩 [懲]	淀 [澱]	盖 [蓋]	胡 [鬍]	家 [傢]
表 [錶]	迟 [遲]	电 [電]	干 [乾]	壶 [壺]	价 [價]
别 [彆]	冲 [衝]	冬 [鼕]	[幹]	沪 [滬]	艰 [艱]
卜 [蔔]	丑 [醜]	斗 [鬥]	赶 [趕]	护 [護]	歼 [殲]
补 [補]	出 [齣]	独 [獨]	个 [個]	划 [劃]	茧 [繭]
才 [纔]	础 [礎]	吨 [噸]	巩 [鞏]	怀 [懷]	拣 [揀]
蚕 [蠶]	处 [處]	夺 [奪]	沟 [溝]	坏 [壞]	硷 [鹼]
灿 [燦]	触 [觸]	堕 [墮]	构 [構]	欢 [歡]	舰 [艦]
层 [層]	辞 [辭]	儿 [兒]	购 [購]	环 [環]	姜 [薑]

浆[漿]	礼[禮]	疟[瘧]	沈[瀋]	洼[窪]	药[藥]
桨[槳]	隶[隸]	盘[盤]	声[聲]	袜[襪]	爷[爺]
奖[奬]	帘[簾]	辟[闢]	胜[勝]	网[網]	叶[葉]
讲[講]	联[聯]	苹[蘋]	湿[濕]	卫[衛]	医[醫]
酱[醬]	怜[憐]	凭[憑]	实[實]	稳[穩]	亿[億]
胶[膠]	炼[煉]	扑[撲]	适[適]	务[務]	忆[憶]
阶[階]	练[練]	仆[僕]	势[勢]	雾[霧]	应[應]
疖[癤]	粮[糧]	朴[樸]	兽[獸]	牺[犧]	痈[癰]
洁[潔]	疗[療]	启[啓]	书[書]	习[習]	拥[擁]
借[藉]	辽[遼]	签[籤]	术[術]	系[係]	佣[傭]
仅[僅]	了[瞭]	千[韆]	树[樹]	[繫]	踊[踴]
惊[驚]	猎[獵]	牵[牽]	帅[帥]	戏[戲]	忧[憂]
竞[競]	临[臨]	纤[縴]	松[鬆]	虾[蝦]	优[優]
旧[舊]	邻[鄰]	[纖]	苏[蘇]	吓[嚇]	邮[郵]
剧[劇]	岭[嶺]	窍[竅]	[囌]	咸[鹹]	余[餘]
据[據]	庐[廬]	窃[竊]	虽[雖]	显[顯]	御[禦]
惧[懼]	芦[蘆]	寝[寢]	随[隨]	宪[憲]	吁[籲]
卷[捲]	炉[爐]	庆[慶]	台[臺]	县[縣]	郁[鬱]
开[開]	陆[陸]	琼[瓊]	[檯]	响[響]	誉[譽]
克[剋]	驴[驢]	秋[鞦]	[颱]	向[嚮]	渊[淵]
垦[墾]	乱[亂]	曲[麴]	态[態]	协[協]	园[園]
恳[懇]	么[麽]	权[權]	坛[壇]	胁[脅]	远[遠]
夸[誇]	霉[黴]	劝[勸]	[罎]	衅[釁]	愿[願]
块[塊]	蒙[矇]	确[確]	叹[嘆]	兴[興]	跃[躍]
亏[虧]	[濛]	让[讓]	誊[謄]	须[鬚]	运[運]
困[睏]	[懞]	扰[擾]	体[體]	悬[懸]	酝[醞]
腊[臘]	梦[夢]	热[熱]	袅[裊]	选[選]	杂[雜]
蜡[蠟]	面[麵]	认[認]	铁[鐵]	旋[鏇]	赃[贓]
兰[蘭]	庙[廟]	洒[灑]	听[聽]	压[壓]	脏[臟]
拦[攔]	灭[滅]	伞[傘]	厅[廳]	盐[鹽]	[髒]
栏[欄]	蔑[衊]	丧[喪]	头[頭]	阳[陽]	凿[鑿]
烂[爛]	亩[畝]	扫[掃]	图[圖]	养[養]	枣[棗]
累[纍]	恼[惱]	涩[澀]	涂[塗]	痒[癢]	灶[竈]
垒[壘]	脑[腦]	晒[曬]	团[團]	样[樣]	斋[齋]
类[類]	拟[擬]	伤[傷]	[糰]	钥[鑰]	毡[氈]
里[裏]	酿[釀]	舍[捨]	椭[橢]		战[戰]

赵[趙]	证[證]	钟[鐘]	昼[晝]	桩[椿]	准[準]
折[摺]	只[隻]	[鍾]	朱[硃]	妆[妝]	浊[濁]
这[這]	[祇]	肿[腫]	烛[燭]	装[裝]	总[總]
征[徵]	致[緻]	种[種]	筑[築]	壮[壯]	钻[鑽]
症[癥]	制[製]	众[衆]	庄[莊]	状[狀]	

　　第二表收可作简化偏旁用的 132 个简化字和不独立成字的 14 个简化偏旁。

　　132 个简化字如下（按音序排列）：

爱[愛]	[噹]	几[幾]	娄[婁]	迁[遷]	无[無]
罢[罷]	党[黨]	夹[夾]	卢[盧]	佥[僉]	献[獻]
备[備]	东[東]	戋[戔]	虏[虜]	乔[喬]	乡[鄉]
贝[貝]	动[動]	监[監]	卤[鹵]	亲[親]	写[寫]
笔[筆]	断[斷]	见[見]	[滷]	穷[窮]	寻[尋]
毕[畢]	对[對]	荐[薦]	录[録]	区[區]	亚[亞]
边[邊]	队[隊]	将[將]	虑[慮]	啬[嗇]	严[嚴]
宾[賓]	尔[爾]	节[節]	仑[侖]	杀[殺]	厌[厭]
参[參]	发[發]	尽[盡]	罗[羅]	审[審]	尧[堯]
仓[倉]	[髮]	[儘]	马[馬]	圣[聖]	业[業]
产[産]	丰[豐]	进[進]	买[買]	师[師]	页[頁]
长[長]	风[風]	举[舉]	卖[賣]	时[時]	义[義]
尝[嘗]	冈[岡]	壳[殼]	麦[麥]	寿[壽]	艺[藝]
车[車]	广[廣]	来[來]	门[門]	属[屬]	阴[陰]
齿[齒]	归[歸]	乐[樂]	黾[黽]	双[雙]	隐[隱]
虫[蟲]	龟[龜]	离[離]	难[難]	肃[肅]	犹[猶]
刍[芻]	国[國]	历[歷]	鸟[鳥]	岁[歲]	鱼[魚]
从[從]	过[過]	[曆]	聂[聶]	孙[孫]	与[與]
窜[竄]	华[華]	丽[麗]	宁[寧]	条[條]	云[雲]
达[達]	画[畫]	两[兩]	农[農]	万[萬]	郑[鄭]
带[帶]	汇[匯]	灵[靈]	齐[齊]	为[為]	执[執]
单[單]	[彙]	刘[劉]	岂[豈]	韦[韋]	质[質]
当[當]	会[會]	龙[龍]	气[氣]	乌[烏]	专[專]

　　14 个简化偏旁如下（按笔数排列）：

　　讠[言]、饣[食]、𢑀[昜]、纟[糸]、収[聚]　𭕄[燃]、⺍[臨]、只[戠]、钅[金]、
𰁨[嗇]、𦍌[罪]、圣[坙]、亦[織]、呙[咼]。

　　第三表收由第二表简化偏旁类推出的 1753 个简化字，具体字不再一一列出。

　　汉字简化方针是"约定俗成，稳步前进"，简化方法则可以归纳为以下八种：

　　1.用形声字改换形声字，例如：拥——擁。

2. 用形声字改换会意字，例如：宝——寶、桩——樁。

3. 用会意字改换形声字或会意字，例如：笔——筆、尘——塵。

4. 省略部分字形，保留特征或轮廓，例如：号——號、丽——麗。

5. 利用草书楷化的办法简化形体，例如：车——車、乐——樂。

6. 换用简单的记号，例如：汉——漢、鸡——鷄、赵——趙、区——區、环——環、枣——棗、轰——轟、师——師、归——歸。

7. 借用同音字或音近字代替，例如：后——後、谷——穀、丑——醜。

8. 用简化偏旁或简化字类推，例如：档——檔、挡——擋。

（三）不用已经淘汰的异体字

为了精简字数，1955 年国家公布了《第一批异体字整理表》，废除了 1055 个异体字。学习《第一批异体字整理表》时，应当了解整理异体字的三个基本原则：

1. 从俗，就是选用通行的，不用生僻的。例如："皙（晳）"。

2. 从简，就是在通用的前提下，选用笔画少的，不用笔画多的。例如："栖（棲）、岳（嶽）"等。

3. 书写方便。有上下和左右两种部位格式的字，一般选用左右式的字为规范字。例如："群（羣）、峰（峯）"等。

（四）纠正错别字★

错别字包括错字和别字。错字指写的不成字，比如某些字多写了一笔或少写了一笔。例如，将"染"字右上角的"九"写成了"丸"，将"含"字上半边的"今"写成了"令"。

别字是把甲字写成乙字。产生别字的主要原因有二：

（1）两字音同或音近，例如，把"脍炙人口"的"脍"写成了同音的"快"。

（2）两字形近，例如，把"炙手可热"的"炙"写成了形近的"灸"。

当然，有时两字可能不仅音同或音近，而且字形也很接近，这时就更容易发生混淆，例如，把"趋之若鹜"的"鹜"写成"骛"，把"好高骛远"的"骛"写成"鹜"。

因此，要纠正错别字，最重要的还是要深入区分字的形音义。例如，"戍、戎、戊"这组形近字，我们可以这么来区别它们："戍"音 shù，在甲金文中作 ，象人持戈，所以字义是"守卫边地"。"戎"音 róng，在甲金文中作 ，从十（古甲字）从戈，一为防御性武器，一为攻击性武器，所以字义是"军事、战争"。"戊"音 yuè，是"钺"的古字，在甲金文中作 ，象斧头状，所以字义是"一种形近板斧的武器"。

另外，黄伯荣、廖序东主编的《现代汉语》中有《常见的别字》一表，对于纠正错别字也很有效，可参阅。下面从中选择一些容易误用的别字，供大家研习（括号内为正确的字）：

白晰（皙）　辩析（辨）　恶耗（噩）　喝采（彩）

恰商（洽）　起迄（讫）　沾辱（玷）　雕彻（砌）

陷井（阱）　通辑（缉）　疏峻（浚）　肖象（像）

膺品（赝）　躁热（燥）　描模（摹）　亵赎（渎）

恢谐（诙）　渲泄（宣）　宣染（渲）　延申（伸）

毗临（邻） 骠悍（剽） 永决（诀） 座落（坐）

造事者（肇） 暖哄哄（烘） 名信片（明）

坐右铭（座） 冷不妨（防） 别出心才（裁）

裨官野史（稗） 爱不失手（释） 爱乌（屋）及屋（乌）

安份守己（分） 暗然泪下（黯） 飞扬拔扈（跋）

白壁微瑕（璧） 英雄倍出（辈） 半途而费（废）

哀声叹气（唉） 百步串杨（穿） 百尺杆头（竿）

罢绌百家（黜） 杯工蛇影（弓） 变本加利（厉）

备考习题

1. 在汉字形体演变史中，_____ 是古今文字的分水岭。

2. 从构造方式看，"尘"字属于_____。

3. 下列各组形声字中，形旁和声旁的部位都是上形下声的一组是_____。

    A. 贷、裹　　　B. 疲、芒　　　C. 零、苍　　　D. 溜、晨

4. 下列诸字在《新华字典》中按哪一部首检字？

    （1）事 _____　　　　　　（2）爽 _____

    （3）所 _____　　　　　　（4）翅 _____

    （5）腾 _____　　　　　　（6）弟 _____

5. 按示例写出下列各字的笔顺和笔画。（示例：太，一ナ大太，共4画）

    （1）张　　　　（2）鸟　　　　（3）每

    （4）妈　　　　（5）级　　　　（6）凹

    （7）凸　　　　（8）好　　　　（9）晚

6. 说出下列汉字的造字法。

    辩　　　从　　　舟　　　甘　　　闻　　　阁　　　武

    看　　　子　　　旦　　　剔　　　苗　　　尘　　　本

    益　　　勇　　　刃　　　忍　　　甬　　　瓜　　　恭

7. 汉字的结构分析可分为两种类型，各是什么？请举例说明。

8. 汉语形声字中的"形"和"声"各指什么？从汉字部位系统的角度看，"形"和"声"的配合主要有几种方式？请举例说明。

9. 汉字"休"与"沐"、"闯"与"问"、"明"与"晴"、"益"与"盆"在造字法上是否相同？如果相同，是哪种造字法？如果不同，区别在哪里？

10. 写出下列繁体字相对应的简体字。

    （1）雙 （2）樂 （3）鹽 （4）範 （5）嘆 （6）難

    （7）畢 （8）塵 （9）穢 （10）瀋 （11）豐 （12）邊

    （13）勸 （14）擺 （15）憐 （16）歡 （17）屬 （18）蠻

(19) 導　(20) 勝　(21) 燦　(22) 礙　(23) 頭　(24) 縣

(25) 臢　(26) 灑　(27) 獸　(28) 憑　(29) 夥　(30) 釁

(31) 衛　(32) 護　(33) 纏　(34) 擊　(35) 叢　(36) 爐

11. 写出下列异体字相对应的规范字。

(1) 麵　(2) 逈　(3) 妬　(4) 袴　(5) 栢

(6) 盃　(7) 搥　(8) 攷　(9) 災　(10) 弔

12. 改正下列词语中的错别字。

世外桃园	鼓惑人心	残无人道	出奇致胜
灸手可热	绿草如阴	破斧沉舟	迫不急待
鞠躬尽粹	饮鸠止渴	动辄得咎	戳力同心
卑躬曲膝	随声附合	暇不掩瑜	宽洪大量
飞扬拔扈	投机捣把	如法泡制	趋之若鹜
惮精竭虑	磬竹难书	无是生非	变本加利
好高鹜远	搬门弄斧	按步就班	并行不背
遗笑大方	出奇不意	肆无忌殚	以逸代劳
民生凋蔽	梳装打扮	一愁莫展	编缉杂志
出类拔粹	相形见拙	别出新裁	谈笑风声

细至　疮伤　粉粹　九洲　脏款　寒喧　做月子

第三章
词 汇

备考提示

1. 本章基本概念较多，要加以识记和理解，尤其要注意区别语素和词、词和短语、本义和基本义、多义词和同音词。

2. 本章的重点是分析词的内部构造，其中要注意区分重叠式和叠音式、同形的词根语素和词缀语素。

3. 本章的难点是近义词辨析，要掌握辨别近义词语法意义（词性）、理性义、色彩义的方法。该知识点一般以改错题形式来考察。

知识重点

一、词汇概说

（一）词汇

词汇又称语汇，指一种语言里所有的（或特定范围的）词和固定短语的总和。

词汇是语言的建筑材料，所有的语句都是由各种各样的词经过一定的方式排列组合而成的。词汇是语言中最直接反映社会生活的要素，既代表了语言的发展状况，又标志着人们对客观世界认识的广度和深度。词汇的丰富与否决定了语言的表现力。个人的词汇量则往往取决于他的学识和阅历。词汇量等于信息量。深入生活、关注社会、阅读书籍、利用媒体是扩大词汇量的有效途径。

词汇和词的区别如下：

1. 词汇≠词：词汇是一个集合名词，"汇"是"集合"的意思。词汇与词、语之间是集合和元素的关系。

2. 词汇≠词的总和，还包括固定短语。

3. 词汇是备用语言单位，主要依靠记忆来掌握。在当代语法中，大致相当于"词库"这个概念。

现代汉语在词汇方面的特点主要是：以复合构词为主要的构词手段；双音词在数量上占绝对优势。

（二）语素★

1. 定义

语素是语言中最小的音义结合体。★它是第一级词汇单位，小于词，更小于短语。例如"书",是一个语素,它的语音形式是"shū",它的意义是"成本的著作";"马虎"也是一个语素,它的语音形式是"mǎhu",意义是"不认真"。它们都是最小的音义结合体,再不能分解成更小的有意义的单位。

2. 分类

(1)按语音形式划分:

只有一个音节的语素是单音节语素,例如:"有、一、千、个、人、手、拿、着、灯、在、走、吗"等。有两个或两个以上音节的语素是多音节语素,例如:"乌鲁木齐、蜈蚣、麦克风"等。

(2)按语素的组合能力(构词能力)划分:

能直接成词的语素是成词语素,例如:"我、牵、着、牛、在、路、上、走"等。**不能直接成词的语素是不成词语素**。不成词语素根据位置是否固定又可以分为不定位不成词语素和定位不成词语素,前者如:"语、言、民、习、卫"等,后者如:"阿－、初－、－儿、－子"等。

(3)根据意义性质划分:

在合成词中,表示基本意义的语素是词根语素,表示附加意义且组合位置固定的是词缀语素。例如,在"阿姨"、"房子"中,"姨"和"房"是词根语素,"阿"和"子"则是词缀语素;又如,在"学习"、"姨妈"中,"学"、"习"、"姨"、"妈"都是词根语素。

▲注意:定位不成词语素与词缀语素外延相等。

综上,根据自由度可以将语素具体分为以下三类:

类别		自由度	成词能力	位置固定		例子
成词语素	词根	自由	＋	－		学、人
不定位不成词语素		半自由	－	－		习、民、卫、伟
定位不成词语素	前缀	不自由	－	＋	前	阿－、老－
	后缀				后	－子、－们

3. 语素与汉字的关系

语素与汉字大都一一对应,但也有不一一对应的情况:

一字多语素,如:"别(别人/别去/别针)、米(稻米/长度单位)、角(牛角/一角钱)"等。多字一语素,如:"垃圾、葡萄、玻璃、恍惚"等。某字在某个场合代表语素,在某个场合不代表语素,如:"蝶、沙、发"等。同一个语素可以同时由不同的汉字来书写,如:"好莱坞(荷里活)、泰坦尼克(铁达尼)"等。

(三)词★

词是句中能够独立运用的最小的语言单位。★它是第二级词汇单位,低于短语。结构固定，意义凝固。

　　▲注意：独立运用包括三层含义：（1）独立成句（单说）；（2）虽不能独立成句，但能够独立充当句法成分（单用）；（3）虽不能独立充当句法成分，但能够独立起句法作用（单用）。能单说的必能单用，能单用的不一定能单说。例如：

　　你吃过了吗？

　　这句话中有五个词，只有"你"、"吃"可以单说单用，"过"、"了"、"吗"只能单用，不能单说。

　　1. 词与语素的区别方法：剩余法（排除法）。如：

　　他又来送信了。

　　"他、来、送、信"都能够单说，可以单独做句子成分，余下的"又"能单独做句子成分，"了"能单独起语法作用，即可以单用，也是词。这种区别词和语素的方法就是剩余法。所以句子中的自由语素只要不与别的语素组词，便都是能够独立运用的单位——词。

　　▲注意1：能单用的单音节语言形式一定是词；能单用的多音节语言形式则可能是词，也可能是短语。

　　▲注意2：语素和词的区别与联系，见下表：

语　素	词
语言中最小的音义结合的单位。	语言中能独立运用的最小的语言单位。
语素是构词的单位。 ①成词语素，既能单独成词，也能同别的语素结合成词。 ②不成词语素，单独不能成词，要同别的语素组合成词。	词是比语素高一级的语言单位，是造句单位。词可以由一个语素构成，也可以由多个语素构成。
只有在同别的语素相结合构成词或自身是成词语素时，语音形式才独立完整。汉语语素绝大部分是单音节的。	有固定的语音形式，在词的末尾可以有语音停顿，词内部语素之间没有停顿。现代汉语的词，双音节占绝对优势。

　　2. 词与短语的区别方法：扩展法。

　　短语是词与词的语法组合。短语能够独立运用但不是"最小的"能够独立运用的单位。它可以分离，中间往往能够插入别的造句成分（即扩展）。例如，"骑兵"中间不能插入别的成分，如果插入别的成分，意义将发生变化，那么它是一个词；而"骑马"可以扩展成为"骑了一匹马"，它便是一个短语。又如在句子"这件事情我很头痛"中，头痛不能扩展，它是词；在句子"今天我头痛"中，可以扩展为"今天我头很痛"，"头痛"为短语。这种识别词与短语的方法叫扩展法。

　　▲注意：此法不适用于某些动宾式、动补式的合成词。因为这些词是离合词，中间可以插入一些成分。有两种情形：

　　（1）动补式：完成　说服　起来（得/不）

（2）动宾式：理发　洗澡　鞠躬（频次）

3. **字与语素、词的对应关系**

性质	对应关系举例										
字	谁	人	人	民	琵	琶	巧	克	力	巧	克	力	糖
语素	谁	人	人	民	琵琶		巧克力			巧克力			糖
词	谁	人	人民		琵琶		巧克力			巧克力糖			

（四）固定短语

1. 短语是词的组合，分固定短语和临时短语。

固定短语一般不能任意增减，改换其中的词语，结构比较固定，意义也比较凝固，属于词汇学研究对象。临时短语则是词的临时组合，属于语法学研究对象。比如，"穿红鞋"、"戴着草帽"是临时短语，成分间可以直接插入很多成分进行扩展，意义大致上可以根据成分及其组合关系推导出来。"穿小鞋"和"戴绿帽"则是固定短语，成分间即使能插入其他成分，形式也是相当有限，并且意义无法直接根据成分及其组合关系推导出来——即使知道"穿"和"小鞋"的词义以及两者之间的动宾关系，可还是无法确切知道整个短语的意思。

2. **固定短语由临时短语转化而来，可以分为专名和熟语。**

（1）专名：专有名词，指人名、地名、机关团体名之类，比较能产。如：对外汉语学院、中国人民政治协商会议、联合国世界卫生组织。

▲注意：一般短语用作书名、杂志名、篇名、片名时，也是固定词组。如：《飘》、《中国语文》、《三国演义》等。

（2）熟语：又叫习语，是人们常用的定型化了的固定短语。包括成语、惯用语和歇后语，结构比较固定。

①成语：是一种相沿习用具有书面语色彩的固定短语，多为四字格，成语的基本特征是意义的整体性和结构的凝固性。成语的来源有神话寓言、历史故事、诗文词句和口头俗语。多来自于经史子集，尤其是上古文献。如：

破釜沉舟、四面楚歌（《史记·项羽本纪》）

缘木求鱼、揠苗助长（《孟子》）按，今天改为拔苗助长，说明成语也有变化。

贻笑大方、杯水车薪（《庄子》）

白沙在涅，与之俱黑；蓬生麻中，不扶而直。（《荀子》）

是可忍，孰不可忍——八佾舞于庭，是可忍，孰不可忍。（《论语·八佾》）

②惯用语：指人们口语中短小定型的习惯用语，大都是三字格的动宾短语，也有其他格式，简明生动，通俗有趣。如：

吹牛皮　拉后腿　踢皮球　戴高帽　马后炮　天晓得

有时，中间可以插入一些定语和补语。如：

碰了个大钉子

③歇后语：谜面＋迷底（不说），中间间歇。分类：

比喻歇后语：

  屋檐下躲雨——暂避一时。

谐音双关歇后语：

  白菜叶子炒大葱——亲（青）上加亲（青）。

（五）略语

略语是语言中经过压缩和省略的词语。可以分为两类：

1.简称：对较复杂的名称的简化形式，往往选取全称中有代表性的语素或词构成。例如：

  家用电器——家电

  扫除文盲——扫盲

  中学、小学——中小学

  奥林匹克运动会——奥运会

2.数词略语：对一些习用的联合短语，选择其中各项的共同语素加上短语包含的项数。例如：

  有理想、有道德、有文化、有纪律——四有

  酸、甜、苦、辣、咸——五味

  马、牛、羊、鸡、犬、豕——六畜

二、词的构造

（一）单纯词：由一个语素构成的词。

1.单音节词：

  山　走　红　男　我　啊　着

2.复音节词：包括联绵词（双声、叠韵、其他）、叠音词、音译外来词和拟声词。如：

  伶俐　仿佛　吩咐　蜘蛛　参差　坎坷　玲珑　尴尬　恍惚　崎岖　蹊跷　徘徊

  骆驼　糊涂　葫芦　蜻蜓　螳螂　蒺藜　徜徉　窈窕　蟑螂

  凤凰　玻璃　妯娌　蜈蚣　螃蟹　滂沱　蝌蚪　狐狸　蝴蝶

  猩猩　狒狒　饽饽　悄悄　姥姥（单言无意义）　奶奶　太太（单言有意义，但与重言意义完全不同）

  巧克力　咖啡　歇斯底里

  乒乓　噼啪　哗啦

（二）合成词：多个语素构成。分为复合式、附加式和重叠式三种方式。

1.复合式：词根 A＋词根 B。存在五种组合关系，如：

（1）并列式：A、B 意义相同、相近、相关或相反。

意义相同（相近）：英雄　朋友　道路∥国家　眼睛（偏义）

意义相关：手足　人物∥骨肉　口舌　人马　岁月　江山　领袖　皮毛（引申）

意义相反：买卖　赏罚　得失　收发∥忘记　早晚　方圆（偏义、引申）

（2）偏正式：A 修饰限制 B。

人流　气功（定中）// 火红　倾销（状中）

（3）支配式：A 动作支配 B 事物。

陈述性：请客　吸烟　当家　提议　失眠　在线　打假　扫黄

指称性：理事　管家　干事　知己（转指）

（4）补充式：B 补充 A 动作的结果或趋向；B 补充 A 事物的单位。

变成　澄清　搞活　缩小　证明　过来　介入　超出 // 羊群　人口　花朵

书本　星座　米粒

（5）陈述式：B 陈述 A 事物。

事物＋动作：目击　首肯　内秀　雪崩（日食　月食　霜降　海啸　地震　月亮　）

自主　自大

事物＋性状：眼花　心疼　手软　眼红

2. 附加式（派生式）：词缀 A＋词根 B；词根 A＋词缀 B，如：

前缀：老师　阿姨　第一　初十（老/阿表示亲昵喜爱）

后缀：锤子　鸟儿　木头　科学家　学者　现代性（名词标志）

　　　勇于　现代化（动词标志）

　　　笑嘻嘻　喜洋洋　干巴巴（状态形容词标志）

3. 重叠式：爸爸、试试（意义上 AA＝A）

▲注意：区别单纯词中的叠音词与合成词中的重叠式。

现代汉语合成词大多数都是由两个语素构成，但也有一些三个或三个以上语素构成的词，这时词的内部构成就不止一个层次。例如，"理发师"直接由语素组"理发"和语素"师"构成，为偏正式；其中的"理发"又由"理"和"发"两个语素构成，为支配式。又如，"碰碰船"直接由语素组"碰碰"和语素"船"构成，为偏正式；"碰碰"本身又是由语素重叠构成。再如，"歌唱家"直接由语素组"歌唱"和语素"家"构成，为附加式；而"歌唱"本身又是由两个语素并列构成。

三、词义

（一）词义的定义★

词义：广义的词义包括词的词汇意义和词的语法意义（词性）；狭义的词义只指词的词汇意义，即词的内容。通常所言的是狭义的词义。

词包含形式和内容两个方面。词的形式即词音（听觉形象）；词的内容即词义，词义即词所负载的信息。词义与词音的结合是约定俗成的，但有个别例外（如"蟋蟀"、"知了"、"哞"等）。词音与词义相辅相成，正如一页纸的两面，无法割裂。

词义基于人们对客观事物和现象的认识。在对客观事物和现象观察、分析、综合和抽象概括之后，人们形成了某种概念，然后再以一定的语音形式加以固定，最后变为词义。

（二）词义的性质

1.概括性

词义为了准确反映这个词所表示的对象的意义，便摈弃了对象的个体特征，概括出对象的共同的、本质的特征。如"人"的词义就舍弃了人在年龄、相貌、性别和种族诸多方面的特征，集中概括了人的社会性。即使专有名词也有概括性。例如，"杜甫"虽然指的是唐朝的一位诗人，却也是概括了不同时期（童年、少年、青年、中年、晚年）的杜甫。

2.模糊性

词义的模糊性指的是词义的界限有不确定性，主要是客观事物本身的连续性与模糊性所造成的。如上午、中午、下午三者之间并没有一个明确的界限，几点几分到几点几分才是上午，并不是很明确。因为词义重在对象的核心明确。模糊性是一个相对概念。

3.民族性

同类的事物在不同的语言中表现有很大的不同，具体表现为可以用不同的词来表示同一事物。还有这样的情况，同一个概念在某种语言中用一个词来表示，而在别的语言中则用几个词来表示。词义概括的对象范围也可以不同，它体现了词义的民族性。例如汉语与英语在称谓上的不同表达：叔叔与 uncle；爷爷与 grandfather。词义的附加色彩同样显示出民族性的一面，如用"狗"指称人的时候，在不同的民族中，其褒贬色彩不一。在汉语中"癞皮狗、走狗、人模狗样"等词都是贬义；而在英语中，这类词除了受外来语影响而个别具有贬义外，其余大多没有贬义，甚至还有褒义，如 dogfight（激战）、to work like a dog（拼命地工作）。

词义与民族的文化传统、思维方式、心理特征紧密相关。如"太阳光（白光）"，汉族认为是七种色彩，而俄罗斯则认为有五色。又如，在亲属关系的称谓方面，汉语的血缘观念、性别意识、长幼序次似乎更为明显。

（三）词义构成★

词义是由多种因素构成的。实词都具有与概念相联系的核心意义，即理性义。此外，有的理性义上面还附着色彩义。

1.理性义：词义中与表达概念相关的意义部分，又叫概念义、主要义。对内具有统一性，对外具有排他性。如：

人：能够直立行走并制造工具的哺乳动物。

潮汛：一年中定期的大潮。

2.色彩义：附着在词的理性义上面表达人或语境所赋予的特定感受，又叫感受义，附属义。可以分为：

（1）感情色彩：感情色彩源自现实的人的情感。所有的词据此可分出褒义词、贬义词和中性词。常见的带感情色彩的词有：表示人的性格品质的词，例如："诚实—虚伪、忠诚—奸诈"等。表示称谓的词，例如："老大爷—老头儿、老婆婆—老婆子"等。表示现象、行为、性质状态和计量单位的词，例如："业绩、勾当、勾结、贪污、简洁、冗长、这位、这号"等词语。

褒义词指那些表明说话人对有关事物的赞许、褒扬的感情的词，例如："英雄、奉献、慷慨"等；

贬义词指那些表明说话人对有关事物厌恶、贬斥的感情的词，例如："走狗、肮脏、奉承"等；

中性词指那些既没有褒义色彩，又没有贬义色彩的词，例如："山脉、来、去、高、低"等。

▲注意：有些感情色彩是句法结构临时产生的，不属于词的感情义。如："他年轻了点儿"。

（2）**语体色彩**：即文体色彩，有些词语经常用于某种语体中，便带上了该语体所特有的色彩。选择哪种语体色彩的词，往往与使用的场合和说话人的文化修养有关。语体一般分为口语语体、书面语体和通用语体（口语、书面语通用）三种。比较：

书面语：头颅　身躯　殴打　颤抖　欢笑

口语：脑袋瓜子　身子骨　揍　哆嗦　乐

（3）**形象色彩**：词义以生动、具体的形态、动态、颜色、声音等诉诸人们的视觉、听觉、嗅觉和味觉等。形象色彩的功用，既可以使对象具体明了，也可以使语句表达形象真切，使语句富于变化。例如：

形态：云海　马尾松　美人鱼　玉带桥

动态：垂柳　牵牛花　上钩　失足

颜色：雪豹　绿洲　彩虹　白桦

声音：布谷鸟　乒乓球　哗哗　轰隆

（4）**时代色彩与地域特色**：古词往往带有书面语的庄重色彩，而方言词则常常带有地域色彩。例如：

"甭说了，甭说了。俺们冷一刻有啥呢？"

"但愿你两口，白头到老，俺乡党们也顺心……"（柳青《创业史》）

上述例子中，带有着重号的词语具有陕西方言的地域色彩。

（四）词义的分解

词义是一个系统，要全面、深入地认识和理解词义，就必须对之进行分解。

1. **义项：词的理性意义的分项说明，原是辞书术语。** 有的词有几个义项，几个义项之间地位并不平等，可以分为：

（1）**本义：根据文献能考订出来的词的最早义项。** 例如，"兵"的本义是"武器"。

（2）**基本义：基本的、常用的义项，不一定是本义。** 例如，"兵"在现代汉语中，基本义是"士兵"。

（3）**转义：在本义的基础上经过推演发展而产生的意义。** 产生机制有两种：一种是相关转义，称为引申义；另一种是相似转义，称为比喻义。例如，"跑"的基本义是"两只脚或四条腿迅速前进"的意思，继而推演为"为某种事务而奔走"的意思，如："跑供销"。这是相关转义。又如，"近视"基本义是"视力缺陷的一种"。后来用它来比喻眼光短浅，例如说"他看不见前途，眼光太近视了"，这里的"近视"用的就是比喻义。

▲注意：区别字的本义和词的本义；区别字的本义和造意。例如，"牧"字形上是以手持木驱赶牛，这是字的造意，表现的词义则是牧养牲畜，不限于牛群。

2. **单义词**：只有一个义项的词。科学术语、新词语、专有名词等多是单义词。例如："煤、鸟、抗、葡萄、塑料、期刊、毛豆、面粉、清凉"等。

3. **多义词**：有两个或两个以上义项的词。例如，"深"有以下几个义项：

从表面到底或从外面到里面距离大，与"浅"相对，如：深水。

从表面到底的距离，如：深度、深浅。

久，时间长，如：深夜、深秋。

程度高的，如：深思、深知。

颜色浓，如：深色、深红。

词的多义，丰富了词的内容，扩大了词的使用范围，体现了语言的经济性原则。

4. **同音词**：语音相同而意义并无联系的一组词。同音词约占汉语词汇总量的10%。

（1）同音词可以分为同音同形（音同且字形同）和同音异形（音同且字形不同）。比较：

同音同形　黑人〈黑色人种 / 没有户口的人　　生气〈不愉快 / 生命力、活力

同音异形　占有——战友　著名——注明　加法——家法

（2）同音词的积极作用：构成"谐音双关"。谐音双关既能"意在言外"，又能"含而不露"，有风趣幽默的效果，所以相声、快书、小品等曲艺作品中经常使用。例如：

　　高山唱歌远闻声，三姐唱歌久闻名。

　　二十七钱摆三注，九文九文又九文。（电影《刘三姐》）

（3）同音词的消极作用：混淆视听，妨碍理解。例如：

　　她喜欢听越（粤）剧。

　　期中（终）考试开始了。

　　这个人有点娇（骄）气。

▲注意：同音词和多义词的联系和区别

联系：都有两个或两个以上的意义，并且这些意义的语音相同。

区别：义项之间有意义联系的为多义词，义项之间无意义联系的为同音词。

5. **义素**

（1）**义素定义**：**义素是构成词义的最小意义单位，即词义的构成要素**。义素又称语义成分或语义特征。义素能够帮助我们找到事物之间的共同特征和区别特征。例如：

鞋：+［物品］+［穿在脚上］-［有筒］+［着地］

靴子：+［物品］+［穿在脚上］+［有筒］+［着地］

袜子：+［物品］+［穿在脚上］+［有筒］-［着地］

方括号内的特征就是区别特征，"+"表示有此特征，"-"表示无此特征。这些区别特征正是构成这些词义的最小单位，是它们的义素。我们往往把同组的共同特征叫做共同义素，把区别特征叫做区别义素。

（2）义素分析方法

①先确定对比的范围，分析的对象必须相关、接近，必须处于一个共同的语义场。一般来说，用来对比的词应该指称同一种类的对象（如亲属类），分析时应该先从指称事物最小类别成员的一组词语开始，如果需要再进一步扩大对比分析的范围。比如，分析"哥哥"时，可以先与"弟弟、姐姐、妹妹"对比，因为它们属于"亲属"类别下的"同胞"小类。

②再比较词义的异同，找出共同特征和区别特征。确定范围之后就是运用对比分析的方法，找出不同词义在语义成分上的共同点和不同点，即提取它们的共同义素和区别义素。这是义素分析最关键的一步。

③最后是整理和描写。找出不同词语的共同义素和区别义素之后以一定的方式加以整理，使最后的分析结果能够简明地反映词义之间的联系和区别，最后还需要以一定的方式描写和记录义素分析的结果。

义素分析结果的整理可从两方面着手：一是加进某些符号表示分析的结果，一般在每个义素前加上"＋"或"－"号，分别表示具备和不具备某一义素。二是如果某对义素具有非此即彼的对立关系，应取其中一个义素，并在前面加上正负号，而不必把两个对立义素都列出来。

义素分析结果的描写和记录也有两种方式，一是矩阵图，一是横排结构式。义素分析的要求则是：力求做到准确、简明，用尽可能少的义素来分析、揭示词义的特征。

（3）义素分析的作用和局限

义素分析的作用有两点：首先可以清楚简洁地说明词义的结构，便于揭示比较词义之间的异同，揭示近义词、反义词等词的关系，有利于词义的研究、学习和掌握。其次，义素分析还可以突出词义组合之间的关系。例如"喝"要求的宾语具有"+[液体]"这一义素，所以"喝酒"可以成立。而"饭"的义素是"－[液体]"，所以"喝饭"便不能成立。

义素分析的局限也有两点：一方面，尚未有客观的分析标准和依据，带有一定主观性；另一方面，用有限义素来描写某一语言词义系统的预先设想不大现实，因为词义系统是开放的，新的词语和词义层出不穷。

（五）词义的聚合★

1. 语义场

（1）语义场的定义

语义场就是通过不同词之间的对比，根据它们的共同特点或关系划分出来的类。属于同一语义场的词具有共同义素表明它们属于同一个语义场，又有一些不同的义素表明词义之间的区别。

（2）语义场的层次

语义场有层次性，上一个层次中某个词的义素必然为下一个层次的各词所具有，而下一个层次又必定有自己一些特殊的义素。例如"老人"和"老大爷、老大娘"是两个层次。在"老大爷、老大娘"这一层次中，"老人"的义素它们都有，而"老大爷"的 +[男性]

这一义素，"老大娘"的 +[女性] 这一义素，则不是"老人"这个词所具备的。

（3）语义场的种类

按语义场各成员间的关系的不同，可以分为类属义场、顺序义场、关系义场。其中最重要的是类属义场。

①类属义场：类属义场的成员同属于一个较大的类，如"汽车——火车——飞机"同属交通工具类，"红——黄——蓝——绿"同属颜色类。

②顺序义场：指各成员按照某种固定的顺序排列，例如"本科生——硕士生——博士生""春——夏——秋——冬"等。

③关系义场：一般由两个成员组成，二者处于某种关系的两端，互相对立、互相依赖。例如"老师——学生"便是因教育关系形成的语义场。"教育"是这个义场的关系义素。

2. 同义词

一种语言的历史越悠久，生命力越强，它的词汇中的同义词语也就越丰富。汉语历史悠久，现代汉语的同义词语十分丰富。

（1）定义：意义相同或相近的词组成的语义场叫做同义义场，同义义场中的各个词叫做同义词。同义词可以分为两类：

等义词：意义完全相同，无论在词义、用法还是在附属色彩上，都没有什么差别，在语言中通常可以换用。例如"自行车——脚踏车"，"演讲——讲演"。语言发展的事实表明，意义和用法都完全相同的词，很难长期并存。它们的并存，只是一种暂时现象，随着词汇的发展，或者保留一个，淘汰其他；或者它们在意义、色彩、用法功能等方面有所分化，出现差别，构成一组近义词。等义词的存在对人们传递信息表达思想感情没有多少积极作用，是词汇规范化工作要研究的对象之一，其中的一个会保留，成为规范的词。

近义词：主要意义相同，但在语义和用法上存在细微差别。例如"坚决——坚定"，两个词都有"拿定主意"的意思，但两者在意义和用法上有细微的差别。"坚决"侧重态度果断，跟"犹豫"相反；"坚定"侧重立场稳定，跟"动摇"相反。因此，"坚决"常用来表示行动、态度；"坚定"常用来表示意志、立场。

▲注意 1：同义词是以义项为单位进行比较，有一个义项相同即为同义词。反义词亦然。

▲注意 2：同义词是指概括义（词典义）同义，临时语境义的同义不是严格意义上的同义。反义词亦然。

▲注意 3：同义词应该都是词，不能一个是词，一个是短语。反义词亦然。

（2）同义词的差别

学习研究同义词的重点应放在其差异上，因为同义词的"小异"虽然很微小，但是却可以准确反映事物之间的细微差别，表达不同的感情和态度，适用不同的语体风格需要。如果使用不当，便会造成词不达意，甚至造成误解和错误。同义词的差别可以从以下几个方面来看：

①理性意义有差别

A. 意义轻重不同。

有些近义词在某些特征或程度方面表现出语意的轻重区别。这些近义词大多数是一个语素相同而另一个语素不同，所以可以采用"语素比较法"辨析，着重辨析一组中相异的语素的意义。如：

轻视：瞧不起，看轻，一般程度。

藐视：瞧不起，小看，程度比"轻视"重。

蔑视：瞧不起，轻蔑，唾弃的态度，语意更重。

鄙视：瞧不起，把对方看得十分低劣，语意更强烈。

B. 词义范围大小不同。如：

木材：采伐后经过初步加工的木头。

木料：经过进一步加工的木材。比"木材"所指的范围小。

C. 个体与集体不同。如"书籍"和"书"，都是指"装订成册的著作"。但"书籍"所指的是概括的、集体的，是总称。而"书"往往指具体的、个别的，如"我买了一本书"。

D. 搭配对象不同。如"充足、充分、充沛"这一组同义词，都有"满"和"够"的意思，但是"充足"的搭配对象大多是自然界或物质方面的东西，如"粮食充足"；"充分、充沛"的搭配对象大多是比较抽象的事物。如"理由充分、精力充沛"。

②色彩义有差别

A. 感情色彩不同。有褒义、中性、贬义的区别。

请看下面四组近义词：

感情色彩	例　词			
褒义	果断	教诲	成果	依靠
中性		教训	结果	依赖
贬义	武断	教唆	后果	

B. 语体色彩不同。某些近义词之间的细微差别体现在语体上，有的只适用于口语语体；有的只适用于书面语体；有的则口语语体和书面语体都适用，从而形成了近义词之间在语体色彩上的差异。这主要表现在：

普通话（普通词）——方言（方言词）：如"知道——晓得"、"什么——啥"。

口语——书面语：有的多适用于口语，同时带有通俗的语体色彩；有的则适用于书面语，同时带有庄重、典雅的语体色彩。如："生日——诞辰"、"奶奶——祖母"、"妈妈——母亲"、"挖苦——讥笑"。

普通用语——特殊用语：有的是普通用语，有的则只适用于某种特定的语体和场合，别的语体、场合中不用。如："见面（普通用语）——会晤（用于外交）"、"食盐（普通用语）——氯化钠（用于化学）"。

③语法义不同。

一般地说，词性和句法功能不同的词，不能形成同义词，但是，当一个词具有几种不同的意义，并且分别属于不同词类的时候，则可以在意义相同或相近的条件下，分别同别的词形成同义词。如"深刻"和"深入"两个词都有"深"的意思，"深刻"有接触到问题本质的意思，是形容词，例如"印象很深刻"。"深入"有透过外表达到事物内部的意思，是动词，例如"深入人心"。所以它们不能混同。但是"深入"一词还可以表示"深刻、透彻"的意思，属于形容词性，例如"分析很深入"，在这个意义上与"深刻"的词性和句法功能相同。所以，"深入"的这一意义和"深刻"就能形成同义词。

④兼而有之。

同义词之间的细微差别是多方面的，有时是错综交织在一起的。例如："吝啬"和"吝惜"，既有词义上轻重的不同，也有用法上的不同。另外，搭配对象也不同。

（3）同义词辨析的方法

第一步，从语境中去考察它们可能出现的上下文语境，设想替换的可能性。第二步，互相替换。第三步，对种种替换情况进行分类，并指出同义词在哪些方面有差别。

以"安排——布置"这对同义词为例，首先尽可能收集包含"安排"和包含"布置"的短语和句子，再进行互相替换。例如："他为自己安排了许多工作"；"领导给我布置了许多工作"。前句"安排"不能用"布置"代替，后句的"布置"虽然可以换成"安排"，但是换了之后就不能突出上下级关系了。

（4）同义词的作用

①帮助人们细致地区别客观事物或思想感情的细微差异。在一组近义词中选择最恰当的词去指称对象，有助于人们尽可能准确地表达思想感情。

②有助于避免用词重复。运用一组近义词，可以使表达准确生动而富于变化。

③可以满足人们修辞上的讳饰、婉曲等的需要。

④同义词连用可以加重语气，达到修辞上强调的目的。

3. 反义词

（1）定义：两个意义相反或者相对的词可以构成反义义场，这两个词互为反义词。

例如："生—死、存—亡、有—无、大—小、黑—白、东—西、早—晚"。

▲注意：反义词必须属于同一意义范畴，也不能一个是词一个是短语。如："早—晚"都属 +[时间] 的范畴，"快—慢"都属 +[速度] 范畴等。不同范畴的词，如"大—轻"不能构成反义义场。

（2）分类：★

①互补类：处于同一反义义场的两个词，肯定 A 必然否定 B，肯定 B 必然否定 A，两者无过渡状态。例如：

　　　有——无　　公——私　　生——死

②极性类：处于这种语义场的两个词，肯定 A 就否定 B，肯定 B 就否定 A；但是否定 A 不一定肯定 B，否定 B 也不一定就肯定 A，有过渡状态。例如：

　　　白——黑　　东——西　　朋友——敌人

③两类的相互转化：反义义场两种类型在特定情况下可以改变，互补反义义场可以当作极性反义义场。例如：

男女——不男不女　有无——若有若无　左中右——左右　进退——不进则退

（3）多义项构成多对反义词：多义词有几个意义，它的每个意义都可能有反义词，这样就形成一个词处于几个反义义场中的现象。如：

花开——花落/花谢　　开门——关门　　开口——闭口

红军——白军　　　红心——黑心

（4）反义词的不平衡性

在语言运用中，反义词中总是有一个词用得多些，能够出现的语言场合也多一些，这叫做反义词的不平衡现象。如"大——小"中，"大"用得多，"你多大？""房间多大？"，而一般不直接问"你多小？""房子多小？"。

（5）反义词的作用

①反义词常被用作修辞上的对比和映衬的手段，具有鲜明的色彩和很强的说服力；

②反义词连用，使语句富于哲理，更加含蓄，富于感染力；

③反义词对举，使叙述简练明确；

④在构词上可以形成仿词或用反义语素形成词语。

四、词汇构成

（一）基本词汇

1.定义

基本词汇是词汇中最主要的部分，是基本词的总和。它生命力强，使用频次高，为全民所共同理解。如："天、地、人、山、水、心、头、父、母、走、坐、我、你、大、小、十、百、都、全、了、吗"等等。

2.特点

（1）普遍性（全民常用性）：指流行地域广，使用频率高，为全民族所共同理解。基本词汇的使用可以不受阶级、行业、地域、文化程度的限制。

（2）稳固性：基本词汇在千百年中为不同的社会服务，而且服务得很好。例如"牛、羊、上、下、高、低"等，这些在甲骨文中就已出现的词至今还在使用，并将继续使用下去。

（3）能产性：指构词能力强。例如以基本词"水"作为语素构成的词，在《现代汉语词典》中就有160多个。

（二）一般词汇

1.定义：

一般词汇指基本词汇以外的词汇。人们交际频繁，要说明复杂的事物，要表达细致的思想感情，单单用基本词汇是不够的，还需要用大量的非基本词汇——一般词汇。一般词汇的特点是没有基本词汇那样强的稳固性，但却有很大的灵活性。

2.分类（按照来源分）：

（1）古语词：包括一般所说的文言词和历史词。历史词所表示的事物或现象在现实生活中已经不存在，该词语在一般交际中不使用。例如："皇帝、鼎、若干、如此"等。文言词语所表示的事物或概念在现实生活中还存在，但已经由别的词语来表达。如第一人称代词"余"、疑问语气词"乎"。

（2）地域方言词：普通话不断从各方言中吸取有用的成分来丰富自己。例如："椰子、槟榔、癌、垃圾"等。

（3）社会方言词：不同社会群体（职业、行业、性别、年龄等）所用的特色词汇。主要是行业语和隐语。

行业语：指各种行业应用的词语，也叫做"专有词语"。其中，科学术语对发展科学文化事业有十分重要的意义。例如："正数、负数、小数点、函数、微分"等都是数学界用语。

隐语：个别社会集团或秘密组织中使用的只有内部人懂得的特殊用语。如旧社会的商贩为了使局外人不知道行市，就创造隐语代替一般数字，如把"一"叫做"平头"，"二"叫做"空工"，"三"叫做"横川"，"四"叫做"侧目"，"五"叫做"缺丑"，"六"叫做"断大"，"七"叫做"皂底"，"八"叫做"分头"，"九"叫做"未丸"，"十"叫做"田心"。

（4）外来词：即借词，是从外族语言里借来的词。分音译外来词、音译兼意译外来词（半音译半意译）、音译加意译外来词（全音译附加意译）和字母外来词。★

音译外来词：照着外语词的声音对译过来，一般也叫音译词。例如："咖啡、白兰地、休克、扑克、逻辑、苏打、沙发、苏维埃、模特"等。

音译兼意译外来词：把一个外来词分为两半，一半音译，一半意译。例如："浪漫主义、马克思主义、沙文主义"等。

音译加意译外来词：整个词音译之后，外加一个表示义类的汉语语素。例如："沙皇、卡车、芭蕾舞、香槟酒、沙丁鱼、啤酒、拖拉机"等。

字母外来词：直接用外文字母或与汉字组合而成的词。例如："MTV、WTO、KTV、X光、B超、BP机"等。

▲注意1：意译词不是外来词，例如："电话、收音机、扩音器"等。

▲注意2：基本词汇与一般词汇是相互依存、相互转化的关系：基本词汇是构成新词的基础，从而是扩大一般词汇的基础，如："铁路"等。一般词汇中有些词在高频次使用中逐渐转变为基本词汇，如："革命、计算机"等。

（三）词 汇 系 统 的 变 化

随着社会的不断发展与进步，随着人们实践领域的不断扩展，词汇在不断发展变化，主要表现在新词不断地产生，旧词逐渐地消亡，同时词的语义内容和词的语音形式也不断地发生变化。

1. 新词的产生

（1）新事物不断产生，人们需要认识、指称这些事物，于是就要给它命名，以满足交际的需要，这样就产生了新词。如："电脑"。

（2）新观念的产生，如："民营企业家"。

（3）双音节化的需要，如："安装、民警"。

2. 旧词的逐渐消失和变化

（1）旧词的消失与萎缩，如："丫环、童养媳、红卫兵、文斗"等。

（2）旧词的复活，如："太太、小姐、先生"等。

3. 词义的演变

（1）词义扩大：扩大词所指对象的范围。如：

嘴，本义为鸟兽的嘴，人的嘴称为口，现在可以指人和动物的嘴。

健康，本义指生理状况良好，现在扩展到心理、思想方面状况良好。

（2）词义的缩小：缩小词所指对象的范围。如：

臭，本义指一切气味，缩为专指坏味。

丈人，本义指老人，缩为专指岳父。

勾当，本义指事情、办事情，现在只指坏事情。

批判，本义指评价优劣，现在只指批评错误。

（3）词义转移：所指对象发生变更。如："行李"，原义指两国往来的使者，现在转移指出门时所带的提包、箱子等。

五、词典与词汇规范化

（一）词典

词典和字典是解疑释惑、提供知识资料的工具书。词典根据对象和用途的不同，在收词范围、知识类型和规模等方面均有不同。大体可以分为三类：语文词典，如《现代汉语词典》、《汉语大词典》、《辞源》、《现代汉语八百词》等；专科词典，如《植物学词典》、《中国医学百科全书》等；百科词典，如《辞海》、《不列颠百科全书》、《中国大百科全书》等。

下面简要介绍基本汉语学习中比较常用的词典。

1.《现代汉语词典》

中国科学院语言研究所编写。1956 年着手收集资料，1960 年印出"试印本"，1978 年正式出版，目前已出了第五版。《现代汉语词典》为中型词典，所收词语除一般词汇外，还有一些常见的方言词语、文言词语、专门术语等。这部词典体系细密完善，选词立目严谨精当，释义简明扼要。《现代汉语词典》作为现代汉语的第一部规范词典，问世后赢得了广大读者和学术界的赞誉，成为大中学生、教师、新闻工作者以及其他语言文字工作者的重要工具。

2.《辞海》

舒新城主编，编纂历时 20 年，于 1936 年由中华书局出版。新中国成立后，曾进行过改编、修订。1999 年版的《辞海》词目增加到十二万二千余条。《辞海》古今语词兼收并蓄，时代感较强，适用于各行各业的普通读者。

3.《汉语大词典》

由上海市、山东省、江苏省、安徽省、浙江省、福建省共同编写，参加的专家、学者共四百多人。1986 年开始出第一卷，1994 年正文十二卷、附录及索引一卷全部出齐，历时 20 年。《汉语大词典》是一部大型的、历史性的汉语语文辞典，共收词目约三十七万条，五千余万字，插图二千二百余幅。本书特色鲜明，在收词方面，不仅数量甚大，而且古今兼备，查全率高，形体齐全，注音周详。在释义方面，准确度高，纠正了以往辞书的一些误释，义项也比较齐备；并能努力追溯语源，充实释文内容。在引证方面，资料翔实，例证繁富。

4.《中国成语大辞典》

王涛等 20 人编撰，1987 年上海辞书出版社出版。本书共收成语一万八千余条，在同类辞书中条目总数最多。本书注意搜集第一手资料，而且范围相当广泛，体例比较细密，检索也比较方便。所收条目分主条和附见条，主条是成语的早期形式或主要形式，作音义解释；附见条是成语的其他形式，不另解释。

（二）词汇规范化

词汇规范化工作应该考虑以下三个主要原则：第一是必要性，就是说要考虑一个词在普通话词汇中有无存在的必要，在表达上是不是不可少的；第二是普遍性，即选择人们普遍使用的；第三是明确性，就是选用意义明确的，容易为人们理解和接受的。

备考习题

1. 根据语素的组合能力，可以将语素分为 ＿＿＿＿ 和 ＿＿＿＿ 。

2. "理发师给姥姥设计了摩登的发型。"这句话中有 ＿＿＿＿ 个语素和 ＿＿＿＿ 个词 ;"那个开摩托的苗条姑娘"可切分出 ＿＿＿＿ 个语素和 ＿＿＿＿ 个词。

3. "老师买了一台电视机"这句话中，可以切分出 ＿＿＿＿ 个不成词语素。

4. "爪牙"的本义是"得力助手"，后来专指"帮凶"，这种词义演变称为 ＿＿＿＿ 。

5. "搁浅"由专指"船舶进入水浅的地方、不能前进"，扩大到指称一切"事情遭到阻碍，不能进行"，这种词义的演变叫做 ＿＿＿＿ 。

6. "爱人"原义指恋爱中的女性一方，现在指夫妻的任一方，这种词义演变称为 ＿＿＿＿ 。

7. 关于现代汉语"洗"和"浴"两个语素，下列说法不正确的一项是 ＿＿＿＿ 。
   A. "洗"是成词语素，"浴"是不成词语素。
   B. "洗"是词根语素，"浴"是定位语素。
   C. "洗"是成词语素，"浴"是不定位语素。
   D. "洗"和"浴"都是词根语素。

8. "一板一眼"、"马后炮"、"泼冷水"、"老油条"都属于 ＿＿＿＿ 。
   A. 简缩词语　　　　　　　　B. 成语
   C. 谚语　　　　　　　　　　D. 惯用语

9. "背黑锅"、"走后门"、"碰钉子"都属于 ＿＿＿＿ 。
   A. 惯用语　　　　　　　　　B. 谚语

C. 成语   D. 简缩词语

10. 下列属于附加式合成词的是 _____。

  A. 床头   B. 演化

  C. 乱糟糟   D. 瓜子

11. 下面全是叠音式单纯词的是 _____。

  A. 弟弟、常常   B. 猩猩、往往

  C. 弟弟、猩猩   D. 常常、往往

12. 复合词"海洋、飞跑、理事、书本"的结构关系分别是 _____。

  A. 偏正、支配、补充、并列

  B. 并列、偏正、支配、补充

  C. 并列、补充、偏正、陈述

  D. 偏正、支配、并列、补充

13. 下列词语单位中,不能看作"简称"的是 _____。

  A. 中小学   B. 黑白电视

  C. 四化   D. 奥运会

14. 下列四组单位中,属于缩略语的一个是 _____。

  A. 南京   B. 南方

  C. 南大   D. 南极

15. "看花看得眼睛都花了"中,前后两个"花"分别用的是多义词"花"的 _____。

  A. 基本义、引申义   B. 基本义、比喻义

  C. 引申义、基本义   D. 引申义、比喻义

16. 下列诸多义项中,体现"解"的本义的是 _____。

  A. 分割肢体,如"人体解剖"

  B. 除去束缚,如"把绳子解开"

  C. 分析阐明,如"解出了这道题"

  D. 分裂散开,如"瓦解敌人"

17. 下列众多义项中,体现"顾"的本义的是 _____。

  A. 注意,照应,如"自顾不暇"

  B. 看望,拜访,如"三顾茅庐"

  C. 回头看,如"瞻前顾后"

  D. 怜惜,眷恋,如"奋不顾身"

18. 下列各词中,属于音译外来词的是 _____。

  A. 计算机   B. 啤酒

  C. 沙文主义   D. 休克

19. 下列句子中画线的成分都是词吗?如果不是,那么是什么单位?

  (1) <u>白</u>拿了一车<u>白菜</u>。

（2）今年我们厂巧克力的生产能力有了很大的提高。

20. 指出下列各个合成词中，哪些是附加式。

（1）女儿　花儿　鸟儿　宠儿　头儿

（2）男子　乱子　弟子　旗子　棋子　莲子

（3）老乡　老龄　老年　老师　老虎

（4）船头　老头　木头　头领

21. 指出下列各词哪些是单纯词，哪些是合成词，如果是复合式合成词，请进一步指出具体的复合方式。

司令　说服　胆怯　冲淡　自从　民主　初一　掉队

车辆　举重　霜降　抓紧　开关　马虎　花朵　制造

年轻　行政　剧场　蜘蛛　狐疑　肃清　反正　火红

22. 说明下列各句中"会"的意义，并指出它们之间的关系（多义词或同音词）。

（1）此事只可意会，不可言传。

（2）今晚有一个会。

（3）他教了我半天，我总算会了。

23. 设有语义场"哥哥、弟弟、姐姐、妹妹"，请提取它们的共同义素和区别义素，并通过矩阵图的形式，用"＋"表示具备该义素，用"－"表示不具备该义素，分析上述四个词的义素特征。

24. 改正下列句子中用词不当的地方并说明理由。

（1）这家航空公司每天都有多次航班交往于北京和香港。

（2）谈判双方陷入尖利的对立状态。

25. 词语辨析。

（1）夫人　妻子　老婆

（2）明显　显著

（3）美丽　漂亮　好看

（4）兴趣　乐趣

26. 词语辨析。

（1）"大家请他再唱一个，他就又唱了一个"中"再"和"又"能否互换？为什么？

（2）"欢迎你以后常常来母校看看"中的"常常"能否换作"往往"？为什么？

（3）"天色逐渐地昏暗起来"一句中的"逐渐"能不能换作"逐步"？为什么？

（4）"如果一个家庭一个月节约1吨水的话，那么全国几亿个家庭一年可以节约多少吨水呢"中的"多少"能否换作"几"？为什么？

（5）"经过周密的论证，我坚定地认为他的结论是正确的"中的"认为"能否换作"以为"？为什么？

（6）"她能打字，一分钟能打八九十个字"中的两个"能"是否可以换成"会"？为什么？

（7）"他这次不及格决不是偶然的，因为他平时就不用功"一句中的"偶然"能不能换作"偶尔"？为什么？

（8）"他对于这个问题最有发言权"一句中的"对于"能不能换作"关于"？为什么？

（9）"小王走得很匆忙,连照相机也忘了带去了"一句中的"匆忙"能不能换作"急忙"？为什么？

（10）"你喜欢喝茶还是喝咖啡"一句中的"还是"能不能换作"或者"？为什么？

27. 指出下列外来词的类型。

T 恤衫（T-shirt）　　　　CT（Computerized Tomography）

巴黎（Paris）　　　　　　新西兰（New Zealand）

穆斯林 (muslim)　　　　　法老（Pharaoh）

克隆（colon）　　　　　　绷带（bandage）

坦克车（tank）　　　　　霓虹灯（neon lamp）

MTV(Music Television)　　芭蕾舞（ballet）

酷（cool）　　　　　　　味美思（vermouth）

28. 下列汉字有三种不同身份，①只是语素，②既是语素又是词，③既不是词又不是语素，请一一注明（将数字号码填入〇内）。

览〇　　人〇　　徘〇　　缔〇　　蝴〇　　浏〇

火〇　　葡〇　　森〇　　蛛〇　　院〇　　蜘〇

29. 简要回答同音词形成的原因。

30. 举例说明"深"和"浅"在哪几个义项上形成反义关系。

第四章
语 法

备考提示

1. 本章在考试中所占分值最大，主要考察的是分析能力。

2. 本章需要掌握如何划分词类，以及如何对短语、单句、复句进行层次分析。其中后者一般以分析题形式考察，所占分值比较大，要引起足够重视。

3. 本章的词类方面的难点是如何根据语法功能区别形容词和区别词、介词和动词、连词和副词；句法成分方面的难点是如何区分主语和宾语、宾语和补语、定语和补语。

4. 本章的常见语法错误一般会出改错题，要加以重视。

重点知识

一、普通话语法方面的特点

普通话语法方面主要有以下四个特点：

（一）语序与虚词是主要的语法手段

语法意义的类别叫语法范畴，语法形式的类别叫语法手段。同一语法范畴可以用不同的语法手段来表达，同一语法手段可以表达不同的语法意义。例如，同样是时体范畴，英语主要通过词的变形即形态手段来表达，汉语则主要通过助词等虚词来表达。同样是虚词这一语法手段，汉语有些是用来表达时体范畴（如"了、着、过"），有些则用来表达语气（或情态）范畴（如"吗、呢、啊"）。

大致而言，最常用的语法手段是形态、语序和虚词三种。汉语形态不发达，所以语序和虚词成了主要的语法手段。比较：

英语：I love him.　　He loves me.　　This is my book.

汉语：我爱他。　　　他爱我。　　　这是我的书。

同样是第一人称单数，英语用于主语、宾语和定语位置要进行形态变化（具体采用的是异根变形），分别为"I"、"me"、"my"。汉语则不管在哪个位置，都用的是"我"，不用变形，定语位置则可以通过附加虚词"的"来表示领属关系。另一方面，我们从上述例子还可以看到，同样是"我"、"爱"、"他"三个词，可要是语序不一样语法意义也就不一样："我爱他"中"我"是主语，"他"是宾语；"他爱我"中"他"是主语，"我"是宾语。

（二）词、短语、句子的结构原则基本一致

无论是语素组成词，还是词组成短语、短语组成句子，都有主谓、动宾、偏正、联合、

补充等五种基本语法结构关系。例如："大人"这个词和"大房子"这个短语都是偏正结构；"手足"这个词和"唱歌跳舞"这个短语都是联合关系。只不过为了区分词法和句法两个层面，我们在术语上有所选择：词法层面一般用"陈述"、"支配"、"偏正"、"并列"、"补充"等术语来称说五种基本结构关系，句法层面一般用"主谓"、"动宾（述宾）"、"偏正"、"联合"、"中补（述补、动补）"等术语来称说。

（三）词类和句法成分不是简单的对应关系

由于汉语缺乏形态标志，同一个词往往可以不需要变形就充当多种句法成分。结果，同一个词类往往可以充当多种句法成分，同一个句法成分又往往可以由多种词类充当。例如，同样是动词"游泳"，在"我正在游泳"这个句子中是作谓语，在"游泳时间还没有确定"这个句子中是作定语，在"他喜欢游泳"这个句子中是作宾语。又如，同样是谓语，在"他来了"这个句子中是由动词充当的，在"头发苍白"这个句子中是由形容词充当的，在"今天星期一"这个句子中则是由名词充当的。

（四）量词系统丰富，有语气词

数词和名词组合，中间一般要用量词，并且，不同的名词，添加的量词也会有所不同。例如，当我们看见教室里摆放着很多桌子，桌子上又放着很多书，于是我们就数了数，说"教室里有二十张桌子，每张桌子上摆放着十五本书"。同样是这个场景，我们绝不能说"二十桌子"、"十五书"，也不能说"二十本桌子"、"十五张书"。

语气词主要用来表达细微的语气差异。例如，同样是问小明来不来，添加"吗"、"吧"、"啊"三个语气词，所表达的语气也就相应有所不同，比较："小明来吗？""小明来吧？""小明来啊？"

二、语法概说

（一）语法与语法学

语法是词、短语、句子等语言单位的结构规则，又称为客观语法。语法学是研究语法的学科，又称为主观语法。传统上，语法学分为词法和句法两部分。词法主要研究词类和各类词的构成、词形变化（形态）。句法主要研究短语、句子的结构规律和类型。

人们的言语必须符合语法规则，否则就无法交流信息。例如，说话人想要表达"知识很重要"这个意思，仅有"力量、就、知识、是"几个零散的词是不够的，组成"力量就知识是"或"是就知识力量"也还是不能实现自己的表达目标，因为这些组合不符合汉语的结构规则，读者也就自然无法理解。正确的组合顺序是"知识就是力量"。

（二）语法的特点

1. 高度的抽象性

语法规则实际上就是对人们所说的话中的单位、结构关系和关系的某种类的概括；它不必去管一个一个具体的词语和句子，只需要处理一类一类的现象。有了抽象的语法规则，人们在说话时才可能在由各种类别构建的单位、结构和关系的框架内造出一句一句"合格"的话来。语法规则是有限的，而人们说和写出的句子则是无限的。有限的规则之所以能够生成无限多的句子，是因为语法具有抽象性这个特点。例如"勇敢地战斗""很好""认真学习"，这些语句在具体意义上毫无共同之处，但在结构上却有共同之处，即都是由状语加中心语组成的偏正结构。又如，"名词不能用'不'否定"这条规则几乎适用于所有的名词，"山、水、学生、衣服、街道、文化、语言、足球"等等，前面一般都不能出现"不"。

抽象的语法规则表现在人们说和写的话语中，储存于人们的大脑里。儿童在学习母语时，能用已学会的词语说出没有听过的句子，就是因为掌握了抽象的结构规则，能自行组织具体的句子。成年人学习外语时也会出现类似的情况。

2. 强大的递归性

所谓"递归"指的是相同的规则可以在一个结构里重复使用。语法规则实际上就是一种有限手段可以反复使用的规则。有了递归的语法规则，人们在说话的时候才可能用有限的规则手段造出无限多的句子来。例如，通过重复使用主谓、动宾结构规则，我们可以造出"校长以为小李昨天参加考试了"这样的句子。

3. 严密的系统性

所谓"系统"指的是语法规则具有推导性和解释性。每一条语法规则都不是独立起作用的，而是互相联系着共同起作用。有了系统性的语法规则，人们才可能造出无限多的复杂多样但又严密有序的句子来。

4. 较高的稳固性

相对于语音、词汇而言，语法的稳固性显然更高，具体表现在历史继承性和不可渗透性两个方面。语法的历史继承性，在汉语的历时发展过程中体现得相当明显。例如，现代汉语"主＋动＋宾"这种结构在甲骨文中就已经存在，那时已经有"河杀我？河不杀我？"（董作宾《殷墟文字乙编中辑》这样的句子，其中的"河杀我"就是"主＋动＋宾"结构。而语法的不可渗透性，则可以从语言的接触中看出来。在语言接触中，会出现大量的借词，对词汇系统造成一定的影响，但语法体系受到的影响却很小。外文汉译时必须接受汉语语法规则的支配，如英语中短语或从句作定语时一般放在中心语之后，但译成汉语时，必须把定语放在中心语之前。

5. 一定的民族性

人类思维的规律是一致的，但不同民族表达同一思维的语法形式却不尽相同。因此，语法也表现出一定的民族性。例如，汉语数词与名词之间一般要出现量词，而英语则不需要量词。汉语名词性偏正结构是"定＋中"，而傣语的则是"中＋定"。汉语的动宾结构是"动＋宾"，而日语的则是"宾＋动"。英语的谓语动词有词形变化，而汉语的谓语动词则没有。

（三）语法单位

语法规则离不开具体的语法单位。因此，在全面研究各种语法规则以前，需要弄清楚什么是语法单位。语法单位有大有小，最小的是语素，比语素大的语法单位依次是词、词组和句子。

语素是最小的音义结合体，它既是词汇单位，又是最小的语法单位。我们在词汇部分已经讨论过了，这里不再赘述。**词**是造句时能够独立运用的最小的语言单位，它既是词汇的主体层级，又是高一级的语法单位。词汇部分讨论了它的内部构造，语法部分将讨论它的句法功能。**词组**又叫短语，是由两个或两个以上的词组合而成的语法单位。词组可以分为两类：自由词组和固定词组。没有形成固定搭配，只是根据交际需要而按照有关语法规则组合而成的短语叫做自由词组。**句子是具有一个句调、前后都有语音停顿、能够表达一个相对完整意思的语言单位。**它是由词或词组组合而成的基本运用单位。口语中的句子都有一定的语气，句子前后都有间隔性的语言停顿；书面语中的句子则要用句号、问号或感叹号来表示语气和停顿。

"独立运用"和"最小"是区别词与非词不可缺少的两个条件。所谓独立运用，是指在造句中能够作为一个单位出现；所谓最小，是指不能扩展，即中间不能插入别的成分。词和词组都可以"独立运用"，但词组不是"最小"的。如"白菜"与"白布"都可以作为造句的单位，但"白菜"不能扩展，是词；而"白布"可以扩展为"白色的布"，是词组。词和语素的定义中都有"最小"二字，但词是能独立运用的最小语言单位，而语素的"最小"指的是不能再切分出有意义的单位，它不能"独立运用"，只是构词单位。例如，"危险"可独立运用，是词；若再分成"危"和"险"便不能独立运用，只是最小的音义结合体——语素。作为语法单位，语素是构词单位，词和词组是造句单位；句子是语言的运用单位。词、词组可以成句，它们与句子的区别在于：词、词组是造句单位，没有语气，不能与现实发生特定联系；而句子是运用单位，为了适应具体环境中的交际需要，必须有特定的语气，由此也就同现实发生了特定联系。例如，词典里找到的"好"只是一个词，但在对特定事物进行评价时说："好！"，这时则是一个句子。"禁止吸烟"是一个词组，但当它出现在公共场所的墙壁上提醒人们不要吸烟时则是一个句子。

（四）语法与语音、词汇、语境、逻辑的关系

1. 语法和语音

语音形式有时也可能影响到语法，或者说语法现象也表现为语音差别。例如轻重音不同而导致的语法差别：

	语音	语义	结构关系
"想起来了"——"起来"	轻读	回想起	动补
"想起来了"——"起来"	重读	打算起床	动宾

2. 语法和词汇

词语的意义和用法往往会影响到语法，因为某些特定词语会造成语法上的差异。比如，"长2米"和"短2米"，前一句是有两个意思，可以切分出两种不同的结构（主谓：长度是2米；动宾：长出了2米），而后一句只有一个意思和一种结构（动宾：短少了2米）。这种意义和结构的区别就是因为在"长、短"这对词语中，只有"长"才具有"长度"的意思。

3. 语法和语境

语境对语法的影响有时也很大，即在特定条件下常常会出现一些特殊的语法现象。比如"一张动物园"，看起来是量词误用，其实是"我要买一张去动物园的票"这句话的省略。

4. 语法和逻辑

逻辑对语法的影响主要表现为对语言成分之间搭配关系的制约。从基本要求看,一般人们说话不但要合语法,也要合逻辑。个别不合逻辑的,只要大家都这么说,都懂得是什么意思,就不能完全用逻辑来苛求了。比如"好热闹"和"好不热闹"意思一样,就是这种情况。

三、词类

(一)如何划分词类★

词类是词的语法性质的聚合类。划分词类旨在说明语句的结构和各类词的用法。汉语**词类划分当以语法功能(或语法特征)为主要依据**,有时也要参考词的形态和词的类别意义。

1. 词的语法功能

词的语法功能主要表现为词的造句能力和词的组合能力。词的造句能力指能否单独充当句法结构成分(以下简称"句法成分")以及主要充当何种句法成分。

根据能否单独充当句法成分,可以把词分为两大类:实词和虚词。**实词能独立充当句法成分,具有实在的词汇意义和语法意义,有些可以重叠。虚词不能独立充当句法成分,没有词汇意义,但有语法意义,不能重叠**。例如,在"老师和学生配合得很好"这句话中,"老师、学生"作主语,"配合"作谓语,"很"作状语,"好"作补语,因而它们都属于实词;"和""得"不能单独充当句法成分,所以是虚词。

进一步来看,根据主要作何种句法成分,可以把实词分成体词和谓词两大类。**体词是主要作主语、宾语的词的聚合,谓词是主要作谓语的词的聚合**。谓词根据是否经常作定语可以区分出动词和形容词。有了实词,我们就可以造一些简单的句子了,而只有虚词则不能造句。比如,有了"你""看""电视"这三个实词就可以组合成"你看电视"这个句子。而"了""吗""吧"这些虚词是无论如何不能组合成句的。不过,实词若有了虚词的帮助就可以表达更多的意思。比较:"你看了电视。""你看电视吗?""你看电视吧?"。

词的组合能力指能跟哪些词语发生组合关系,不能跟哪些词语发生组合关系。实词和虚词的继续分类主要就是根据词的这一语法功能来进行的。能单独充当句法成分,能受形容词修饰而不能受"不"修饰的词是名词。如可以说"新的机遇",不可以说"不机遇",所以"机遇"是名词。不能单独充当句法成分,只能附着在名词性词语前面的词是介词。如"从北京"中的"从"不能单独充当句法成分,只能附着在名词"北京"之前,是介词。

2. 词的形态变化

词的形态变化指不同词类具备什么样的形式标记和变化方式。有些词不用去考察它们的组合关系而从形态上就可以知道它们属于哪一类词。如前缀"老"是名词的标记,因而带有前缀"老"的词都是名词,"老外、老板、老师、老李"等便是。"AA"是单音节动词的重叠方式,AABB 是双音节形容词的重叠方式。在给词分类时,词的形态变化只可以作为一项参考标准,因为汉语只有部分词有上述变化方式。

3. 词的类别意义

词的类别意义在辨别词类上也不失为一项参考标准。所谓类别意义不是指具体的某一个词的意义，而是指概括了的某一类词的意义。如名词是人或事物的名称，形容词是表示性质状态的词等。词的类别意义与词的语法功能是密切联系着的。具有名词的语法功能的词一般也是表示人或事物名称的词；具有形容词语法功能的词一般也是表示性质状态的词。一般来讲，根据词的类别意义就可以确定其词类。比如，问"书"是什么词？便可根据它属于"事物名称"一类，判断出它是名词，而用不着去讨论它的语法功能。但有的词从类别意义上看没有明显的差异。如"偶然"和"偶尔"，"打仗"和"战争"，从类别意义上就很难看出它们的词性，这时必须依据它们的语法功能来确定它们所属的词类。"偶然"能作定语、谓语和状语，如"偶然的发现""这件事情很偶然""偶然听到"，可确定为形容词。"偶尔"只可作状语，如"偶尔听到"，是副词。"打仗"能受副词修饰，不能受数量词组修饰，如可以说"不打仗"，不可以说"一场打仗"，可确定为动词。"战争"能受数量词组修饰，不能受副词修饰，如可以说"一场战争"，不可以说"不战争"，是名词。

在综合运用上述三项标准划分词类时，我们还需要注意兼类现象。语言里绝大多数词都可以按照语法功能的异同分别划入不同的类，但有少数词既具有这类词的语法功能，又具有那类词的语法功能，而且意义上有联系，这样的词一般称为兼类词，这种现象叫词的兼类现象。兼类词本质上是不同义项词性不同的多义词。例如："两国关系很密切"和"密切两国关系"中的"密切"是同一个词的两个义项，一个词性是形容词，"亲密"的意思；另一个词性是动词，"使亲密"的意思。

如果仅仅是声音相同，意义没有联系，那不是兼类词，而是同音词。例如："别把手机别在腰边"中的两个"别"意义毫无联系，所以是同音词：第一个"别"是否定副词，意思是"不要"；第二个别是动词，意思是"附着、固定在"。此外，我们还需要区分兼类和词类的临时活用。例如在"他这个人是很唐·吉诃德的"这句话中，"唐·吉诃德"是名词临时活用为形容词，并不是真的成了形容词，所以它不是兼类。

四、实词分说

（一）名词

名词表示人或事物的名称，包括表示时间、处所、方位的词在内。

1. 语法特征

（1）经常作主语和宾语。

（2）一般能受数量短语修饰，不能受副词修饰。

▲注意1：专有名词、时间名词和方位名词一般不受数量短语修饰。如"鲁迅、北京、现在、今天、上边、中间"等，前面一般不出现数量词组。

▲注意2：淑女、绅士、男人、女人之类名词可以受副词"很"修饰。有些固定格式中名词前也可以出现副词，例如："管他飞机不飞机，冲上去再说。/ 昨天已经中秋了。/ 今天才星期三"。

（3）不能通过构形重叠来表示某种语法意义。

▲注意1：亲属名词重叠是语素重叠，属于构词重叠。

▲注意2：有些名词带有某些前缀和后缀作为形式标记，如"阿姨、剪子、学者、甜头、

盖儿"中的"阿 –、– 子、– 者、– 头、– 儿"。

（4）表人名词后面可以加助词"们"来表示群体。

2. 分类：

名词可以粗略地分成以下四类：

（1）**一般名词**：表示人或事物，故又称为人物名词，如"朋友、张衡、人口、猪、花、水、山、车子、道德"等。

（2）**时间名词**：表示时间，也叫时间词，如"中秋、春季、星期天、上午、现在、将来、过去、从前、昨天、今天、明天、国庆节"等。

▲注意：时间名词经常可以作状语，比较：

他昨天（时间名词）来了。

他马上（副词）来。

（3）**处所名词**：表示处所，也叫处所词，如："中国、北京、学校、里屋"等。

（4）**方位名词**：表示方向或位置关系，也叫方位词。方位名词可分为两种：单纯方位词和合成方位词。单纯方位词共有 16 个，即：上、下、前、后、左、右、东、西、南、北、中、内、外、里、间、旁。合成方位词有如下七种合成方式：

两个单纯方位词对举，例如："上下、前后、左右、里外、内外"等。

"以" + 单纯方位词，例如："以上、以下、以前、以后、以内、以外"等。

"之" + 单纯方位词，例如："之前、之后、之间、之内"等。

单纯方位词 + "头"，例如："上头、下头、前头、后头、东头、西头、里头、外头"等。

单纯方位词 + "边"，例如："上边、下边、前边、后边、左边、右边、东边、西边、南边、北边、外边、里边、旁边"等。

单纯方位词 + "面"，例如："上面、下面、前面、后面、左面、右面、东面、西面、南面、北面、外面、里面"等。

其他，例如："底下、当中、中间"等。

方位词主要是附加在名词性或动词性短语后面组成方位短语，表示处所、时间和范围（包括数量界限）。例如："楼前、开会前、八十左右"等。方位短语常和介词组合，然后作状语或者补语。例如："鸟在树上唱歌"，"我走在小路上"。

（二）动词

动词表示动作、行为、心理活动或存在、变化、消失等。

1. 语法特征

（1）经常作谓语或谓语中心，多数能带宾语。

▲注意 1：带宾语的动词叫做及物动词，又叫他动词；不带宾语的动词叫做不及物动词，又叫自动词。不同语法体系对宾语的认识有分歧，所以有些动词（如"去北京"的"去"）到底是及物还是不及物，也有争议。

▲注意 2：及物动词根据所带宾语的构成分成三类：只能带体词性宾语者，如"打、修理、给"等；只能带谓词性宾语者，如"打算、进行、开始"等；体词性和谓词性宾语都能带者，

如"看见、得到、保证"。

（2）能受副词"不"、"没有"修饰。

▲注意：心理动词和部分能愿动词还能受副词"很"修饰。如：很喜欢、很怕／很愿意、很应该。

（3）多数可以在后面附加动态助词"了、着、过"。

▲注意：由于词义的限制，有的动词能带"着、了、过"（如"看"）；有的只能带其中的一个，如可以说"通过了"而不能说"通过着、通过过"；有的动词动态助词都不能带，如"属于、是、使"等动词。

（4）有些动词可以重叠，表示动作的短暂、轻微（动量少或时量小），有"一下"的意思。单音节动词的重叠方式为 AA，双音节动词的重叠方式为 ABAB，例如：想想、打扫打扫。

2. 按照意义分类

（1）动作动词（行为动词），如"走、听、批评、学习"等。

（2）心理动词，如"爱、讨厌、希望"等。

（3）存现动词，如"存在、出现、发生、死亡、消失"等。

（4）判断动词，如"是、像"等。

（5）能愿动词（助动词），表可能、必要和意愿，如"能、能够、可、可以、可能、会、应、应该、应当、要、肯、敢"等。能愿动词常作状语，也可以作谓语，不能用在名词前，不能重叠，也不能带动态助词"了、着、过"。

▲注意1："能愿动词＋一般动词"学界有争议，有些认为是状中结构，有些认为是动宾结构。本书赞同前一种观点，全部视为状中结构。

▲注意2：区别表必要的"要"、表意愿的"要"、一般动词"要"和副词"要"。

（6）趋向动词，可以单独作谓语，但通常加在其他动词后面作补语，可分为三组：

第一组：来、去；

第二组：上、下、进、出、过、回、开、起；

第三组：上来、上去、下来、下去、出来、出去、过来、过去、回来、回去、起来。

其中，第一组以说话人为参照点，向着说话人的方向移动为"来"，离开说话人为"去"。第二组以说话人之外的事物或位置为参照点。第三组兼有一、二组的特点。如"上来"，"上"表示从低往高走，"来"表示朝着说话人的位置，表明说话人在上面。若说"上去"，"去"表示离开说话人所处的位置，表明说话人在下面。

▲注意：有的趋向动词还有引申用法，词义虚化。如"热起来、好起来、坚持下去、瘦下去"中的"起来"和"下去"表示动作或性质变化的"开始"和"继续"。

（三）形容词

形容词表示性质、状态等。

1. 语法特征

（1）经常作谓语或修饰语（定语、状语），部分可以作补语，如："这花真美、美丽的风景、想得美"等。

（2）大多可以受副词"很"、"不"修饰。如："很美、不美"等。

▲注意：性质形容词的重叠式和状态形容词不可以受"很"修饰，因为其本身已经含有程度意义。如："软软、漂漂亮亮、雪白、碧绿"等。

（3）不能带宾语。比较"美丽（的）花朵"和"美化环境"。

▲注意：有部分形动兼类词，如"丰富、端正"等。

（4）部分形容词可以重叠，一般表示量的增加或程度的加强。

单音节形容词的重叠形式是"AA"，如"大大、高高、短短、细细"等。双音节形容词的重叠有三种形式：

"AABB"：如"高高兴兴、踏踏实实、干干净净、随随便便"等。

"A 里 AB"：限于某些含贬义的形容词，如"小里小气、古里古怪、糊里糊涂、马里马虎"等。

"ABAB"：限于本身带有程度的状态形容词，如"冰凉冰凉、雪白雪白、笔直笔直"等。

▲注意：部分动词、名词、区别词也有 AABB 这种重叠方式，如"来来往往、前前后后、男男女女"等，一般表示事物或动作繁多。

2. 按照意义分类：

（1）性质形容词，表示属性，如"软、甜、远、优秀、聪明、安静"等。

（2）状态形容词，带有明显的描写性，如"雪白、水灵灵、灰里叭叽"等。

3. 形容词和动词在语法功能上的异同★★

（1）共同点：能用"不"修饰，如"不走、不高"；能作谓语，如"他走了、这棵树很高"；肯定否定相叠，如"走不走、高不高"。

（2）不同点：普通形容词（本身不带有程度的"形容词"）能受"很"修饰，除心理动词和部分能愿动词之外的动词不能受"很"修饰，如可以说"很高、很美丽"，但不能说"很走、很学习"。

（四）区 别 词★

区别词也叫非谓形容词，表示事物的属性，有分类作用。属性往往是对立范畴，因此区别词往往成对（或成组）出现。

1. 语法特征

（1）经常作定语，多数可以形成"的"字结构。如："西式服装、大号的"等。

（2）不能作谓语、主语、宾语。

（3）不能受"不"修饰，只能受"非"修饰。如："非常态、非正式"等。

2. 区别词与形容词的区别

（1）区别词不能单独作谓语、补语、状语；

（2）区别词不能受"不"、"很"修饰。

▲注意：区别词与短语，看能不能插入结构助词"的"。如："男人"与"男医生"。前者不能插入"的"，变成"男的人"；后者可以插入"的"，变成"男的医生"。

常见的区别词如："正、副、男、女、大型、初级、多项、巨额、慢性、新式、长期、特等、万能、共同、个别、天然、人为、主要、高产、亲生、西式、男式、上等、恶性、微型、阴性、超级、大号、双重、临床、私人、民用、简装、国营、直观、新生、新兴、高速、名牌"等。

有些区别词用途极窄，只作科学技术名词的组成部分，如"高频电波、侧吹转炉"等。

（五）数词

数词表示数目和次序。分为两类：基数词和序数词。

1. 语法特征

一般和量词组合成数量结构，然后作定语、补语、状语，即一般不单独作句法成分。如："一棵树、走一趟、一把拉住"等。

▲注意1：在某些特殊情况下，数词可以直接修饰名词，如："一草一木、三兄弟、四小龙、五壮士、十三亿人口（数词为一，或强调整体性，不可加量词）；七昼夜、两千座位、分三组、一手拿枪、围成一圈（可加量词）"等。

▲注意2：有些同义词需要特别注意，如"俩"和"两"。比较：

他们俩个人（×）

他们两个人（√）

再如"两"和"二"。"两""二"都可以和度量衡量词组合，但当度量衡量词为"斤两"的"两"时，就只能用"二"，不能用"两"；"两"能跟非度量衡量词组合，而"二"则不能。比较：

两斤米	二斤米
两两米（×）	二两米
两门课	二门课（×）

2. 称数法

（1）序数。数词或数词结构前加"第、初"表示序数。如"第一、初二"。有时表示序数不用"第"，但实际上隐含"第"，如"一中"等于"第一中学"。又如，分析问题时按顺序用"一、二"，等于说"第一部分／点／类"、"第二部分／点／类"。

（2）概数。数词或数词结构后面加"多、几、把、来、上下、左右、以上、以下"表示概数。如："千把人、一千来人、一千多人、十几斤、五十上下、五十左右、五十以上、五十以下"。一到九之间相邻的两个数连用，也可以表示概数，如"一两百人，二三百斤，四五千斤"。此外，还可用"成……上……"或"（好）几……"来表示概数，如"成千上万、几十天、几百斤、好几百年"。

（3）倍数和分数

倍数以"数词＋倍"表示。如"一倍、十倍、三十倍"。倍数也可以用分数表示。如"百分之二百"等于两倍，"百分之三百"等于三倍。

▲注意：增加用"倍"，减少不能用"倍"。如：减少了五倍（×）。

分数常用固定结构表示，格式是"几分之几"，如"三分之一"。口语中也用"成、分"表示分数，如"五成"等于"百分之五十"，"三分"等于"百分之三十"。

▲注意1：分数既可以用于数目的增加，也可以用于数目的减少，如可以说"提高了

百分之十",也可以说"减少了百分之十"。

▲注意2:"一"的活用。"一……一"中,前面的"一"是"每一"的意思,如"一个萝卜一个坑"。"一"用在名词性词语前,有"同一"或"满"的意思。如"他走出了一身汗"。用在形容词或动词前,表示动作"快"或"突然发生",如"一学就会"、"心一凉,鼻一酸"。

(六)量词

量词是计算事物数目或者动作频次的单位。

1.语法特征

(1)一般和数词组合成数量结构,然后作定语、补语、状语,即一般不单独作句法成分。如:"三棵树、走两趟、一把拉住"。

(2)可以重叠为AA,如:

> 条条大路通罗马(定语,表示"每一");
> 步步升高(状语,表示"逐一");
> 个个都不是省油的灯(主语,表示"每一");
> 歌声阵阵(谓语,表示"繁多")。

数量短语可以重叠为一A一A、一AA,如:

> 一个一个闪亮的水波。(定语,表示"繁多")
> 一个一个陆续走回去。(状语,表示"按次序")
> 一个个都不是省油的灯。(主语,表示"每一")

2.分类

按照所量化的对象来看,量词可以分为物量词和动量词。

(1)**物量词是表示人或事物的单位**。其中的专用物量词可分为以下四小类:

度量衡单位,如:"寸、尺、米、丈、里;分、亩、顷;升、斗、石;两、斤、磅、吨"等。

个体单位,如:"个、只、件、支、朵、把、条、张、本、片、辆、架、颗、块、篇、匹、场、阵"等。

集体单位,如:"双、对、副、堆、批、群、帮、班、打"等。

不定单位,如:"点儿、些"等。

▲注意:"点儿"和"些"可以和"有"组合成"有点儿"、"有些"。"有些"、"有点儿"后面可以接名词性、动词性或形容词性词语。接名词性词语时,"有"是动词,"些"、"点儿"作定语,如"有些水"、"有点儿灰尘"。接动词或形容词时,"有些"、"有点儿"不表量,而是表示程度,应看作副词。如"有些想家、有点儿后悔"。

借用物量词分为以下两小类:

借用名词,如:"一尾鱼、一杯水、一盒饼、一支笔、一碗饭、一线希望、一道闪电、一轮满月、一眼磨、一车货、一肚子气、一桌酒席、一箱衣服、一处风景、一笔交易、一床被子"等。

借用动词,如"一发炮弹、一挑水、一包东西、一捆柴、一封信、一捧米、一挂鞭炮、一抹斜阳、一弯新月"等。

▲注意：数词和物量词组成的词组一般作定语，当它不在句首且其中的数词是"一"时，"一"常可省略。例如："我去买套衣服"，"有个村子叫李庄"，"喝杯水吧"等。

（2）**动量词表示动作行为的单位**。专用动量词如："次、回、趟、遍、场、阵、顿、下、遭、番"等。借用动量词往往借用名词来表示动作的量，如："看一眼、踢一脚、砍一刀、开一枪、抽一鞭子"等。数词和动量词组成的词组一般作补语，如："读三遍"、"打一拳"。

有些量词既可以是物量词又可以用作动量词。如：

顿：一顿饭　骂了一顿

阵：一阵风暴雨　跑了一阵

场：一场电影　大闹了一场

把：一把米　拉了他一把

面：一面红旗　见过一面

口：一口水　咬他一口

另外，还有一些复合量词，如"人次、架次、吨公里、秒立方米"。

3. 量词的使用

有时，不同的名词、动词要求特定的量词配合。比较：一匹马、一头牛、一条蛇、一缕轻烟、一股浓烟、踢一脚、打一拳。

有时，虽然可以配合的常常不止一个量词，但不同的量词所表达的意义不同。比较：

解释一番（内容多一些，时间长一些）

解释一下（内容少一些，时间短一些）

解释一遍（从头到尾）

解释一次（只涉及次数，不涉及内容）

（七）副词★

副词表示程度、范围、时间等意义。

1. 语法特征

（1）绝大多数只能作状语，一般放在谓语中心前和主语之后。程度副词还可以作补语。如："好得很"、"他幸亏来了（幸亏他来了）"。

▲注意：有些副词的语义指向是名词性成分，如：只（就）他没来。有些可以指向数量短语，如："用了恰好 500 元、花了才五天、工作已经三年了、还没搬迁的就十户人家"。

（2）一般不能单说，少数一部分副词可以单说，如："不、没有、也许、有点儿、当然、马上、何必、刚刚、的确"等。

（3）部分副词有关联作用，如："越说越快、打得赢就打、又说又笑"。

2. 分类

（1）程度副词，如："很、十分、非常、格外、更加、过于、顶、最、极端、比较、越发、稍微、略微"等。

（2）范围副词，如："只、都、全、共、一共、总共、光、统统、仅、仅仅、一齐、一概、全都、单"等。

(3) 时间副词，如："立即、立刻、马上、已经、才、就、正、在、正在、刚、刚刚、刚才、已经、曾经、经常、常常、依旧、依然、渐渐、永远、一直、老是、始终、终于、偶尔、忽然、起初、随即、随时、一向、历来、从来、原来"等。

(4) 否定副词，如："不、没、没有、别、未、莫、勿、甭、未必、不用、不必、休"等。

▲注意："没有（或没）"既可以是否定副词，也可以是动词，区别在于：接动词的"没有"是副词，如"没有（没）来上课"；接名词的"没有"是动词，如"没有（没）人"。

(5) 情态、方式副词，如"亲自、互相、大力、赶紧、陆续、大肆、赶快、尽情、连忙、悄悄、依稀、特意、特地、仿佛、极力、尽量、相继、私下、暗中"等。

(6) 语气副词，如："难道、也许、大概、莫非、必、准、必定、必然、的确、当然、其实、却、公然、居然、竟然、索性、偏偏、偏、简直、几乎、幸亏、幸而、反倒、反正、横竖、究竟、到底、毕竟、决、绝、何尝、明明、只好、未免、可、断然"等。

3. 副词与形容词、时间名词的区别

有的形容词也可以作状语，它与副词的区别在于：副词只作状语，而形容词除了作状语之外，还可以作定语和谓语。比较副词"偶尔"和形容词"偶然"：

偶然碰到　　　　　　　　偶尔碰到（状语）

偶然事件　　　　　　　　偶尔事件（定语）（×）

事情的发生也很偶然　　　事情的发生也很偶尔（谓语）（×）

时间名词也可以作状语，它与时间副词的区别在于：时间副词只作状语，而时间名词除了作状语之外，还能作介词宾语。如"现在"和"正在"；"刚才"和"刚刚"的意义相近，都可以作状语，所不同的是："现在、刚才"前面可以加"从、到"等介词，而"正在、刚刚"前面不可以加介词。

4. 副词的使用

(1) 有的副词有关联作用（可称作"关联副词"），如"却、再、又、就、才、还、既、越"等。例如：

他仍没有听懂，却没有再问。

你越活越年轻了。

他一回来我就会告诉他。

既当群众的先生，又当群众的学生。

再难也不怕。

(2) 有的副词存在多种语义，使用时要加以区分。比较：

大家都同意。（表范围）

一个人都不见了。（"都"轻读，表语气）

就我去看电影。（表范围）

我就去看电影。（表时间）

偏偏小李休息。（客观原因）

小李偏偏休息。（主观原因）

（八）代词

代词起代替、指示作用。所代替者既可以是词，也可以是短语或小句。例如：

小王来了。　　　　　　　　他来了。

小王很好。　　　　　　　　小王怎么样？

他买了一套新公寓。　　　　他买了什么？

他昨天病了，这大家都知道。

从上面的例子，我们已经可以看出，代词中有些代替的是体词性成分，有些代替的是谓词性成分。相应地，我们可以把代词分为**代名词**（如"你、什么"）、**代动词**（如"怎么样"）和**代副词**（如"多、这么、那么"）。代名词的句法功能和名词相近，代动词的句法功能和动词相近，代副词的句法功能和副词相近。

通常，我们又把代词分为人称代词、指示代词和疑问代词，这是按照意义进行的分类。其中：人称代词是代替人或事物名称的词；指示代词，也叫指别词，是指称或区别人物和情况的词；疑问代词是指出疑问点的词。

（1）人称代词。如："我、我们、咱、咱们、你、你们、您、他、她、它、他们、她们、它们、自己、自个儿、别人、人家、大家、大伙儿"等。其中："咱们"包括听话人在内，"我们"一般不包括听话人。比较：

我们明天参加义务劳动。

你要是没事，咱们一块去。

"您"是"你"的敬称，在口语里没有复数形式，有时用"您二位、您几位"。需要注意的是，人称代词有时有不定指的用法。例如：你告诉我，我告诉他，没有半天工夫，全班都知道这件事了。

（2）指示代词。如：这（近指）、那（远指）、那里、这儿、这会儿、那会儿、这么、那么、这么些、那么些、这些、那些、这样、那样、这么样、那么样、每、各、某、另、另外、其他、其余、一切、所有、任何。

需要注意的是，指示代词有时有不定指的用法。例如："这孩子要这要那，纠缠个没完。/ 他摸摸这儿，摸摸那儿，什么都觉得新鲜。"

（3）疑问代词。如："谁、什么、哪、哪里、哪儿、哪会儿、多会儿、几多　多少、怎么、怎样、怎么样。"

需要注意的是，疑问代词有时有不定指和任指用法。比较：

不知谁把窗户打破了。（"谁"为不能确定的某一个人）

谁都会唱这首歌。（"谁"意为"任何人"）

（九）拟声词

拟声词是摹拟自然界声音的词，又名"象声词"。拟声词可以作状语、定语、谓语、补语、独立语，也可以单独成句，不能受否定副词和程度副词修饰。

所谓独立语，指跟其他词语没有结构关系的句法成分，可以出现在句首、句中或句末。

根据表意作用，独立语分为四种，即：

(1) 拟声语：模拟声音，增强形象感和真实感，如："哗哗！哗哗！水不断地流着。"

(2) 感叹语：表示感情的呼声，如："哎，日子不好过啊。"

(3) 称呼语：引起听者注意，如："张三，出门别忘了戴上帽子。/ 喂，过来一下。"

(4) 插入语：引起注意，或加强语气，或使表达更加严密，如："毫无疑问，他是不会来了。/ 看，他是不会来了。/ 总之，他是不会来了。/ 上周日，也就是七月五号，他没有来学校。/ 他呀，不客气地说，一辈子都不会有出息的。"

（十）叹词

叹词表示感叹、呼唤或应答。独立性很强，常作感叹语（独立语），也可以单独成句，如"哎哟！"。

五、虚词分说

（一）介词

介词起标记动作相关语义角色的作用，依附于实词或短语前面，构成介词短语，整体作状语或者补语，不能独立作句法成分。

1. 介词分类

按照介引对象分为以下四类：

(1) 引进时间、方向、处所，如："从、自、自从、于、打、到、往、在、当、朝、向、顺着、沿着、随着"等。

(2) 引进工具、方式、依据，如："按、照、按照、依、依照、本着、经过、通过、根据、以、凭"等。

(3) 引进原因、目的，如："为、因为、由于、鉴于"等。

(4) 引进施事、受事、关涉对象，如："被、让、叫、把、将、给、对、对于、关于、至于、和、跟、同、替、给、向、除了、比"等。

2. 介词与动词的区别

现代汉语的介词大多数是从古代汉语动词演变而来的，有些词还兼有介词和动词两种功能。如"在、为、比、到、给、朝、经过、通过"等。比较：

他为谁？为大家。（动词）

我们为人民服务。（介词）

学校的大门朝南。（动词）

学校的大门朝南开着。（介词）

今天我们比技巧。（动词）

你比他强。（介词）

计划通过了。（动词）

通过学习，我们提高了认识。（介词）

二者的区别在于：

①动词可以肯定否定相叠表示疑问，介词不可以。比较：

他在不在宿舍？（动词）

他在黑板上写了几个字。（"在"为介词，不能改为"在不在"）

②"X＋宾"的前后是否有别的动词，若有别的动词，"X"是介词；若没有别的动词，"X"是动词。如：

他在宿舍。（动词）

他在宿舍住。（介词）

他住在宿舍。（介词）

③大部分动词能带动态助词"了"，介词不能。

汽车经过了八一桥。（动词）

经过认真地考虑，他决定到新疆去。（介词）

3. 多义介词举例

①给：他给我说过（＝跟／对／向）；我给人打了一下（＝被）；我给他买了一本书（＝为／替）；

②由：由感冒引起了肺炎（＝由于）；由石头打坏（＝被）；由北京出发（＝自、从）。

（二）连词

连词起连接作用，可连接各级语言单位，甚至句群。

1. 分类

从连接的成分看，有的连词连接词或词组，如"和、跟、同、与、及、以及"等，有的连接分句，如"因此、如果、尽管"等，有的既可以连接词或词组，也可以连接分句，如"而、而且、并、或者"等。例如：

会议讨论并通过了今年的工作计划。（连接动词）

教室干净、明亮并且温暖。（连接形容词）

他一九三七年参加革命，并在同年入党。（连接分句）

▲注意："和、跟、同、与"都可以连接词或词组，但有一些区别："跟、同"用于口语；"与"带有一些文言色彩，口语里用得少；文章里用得最多的是"和"。"及"和"以及"也有不同的地方："及"只能连接名词性成分，不能连接动词，也不能连接分句；"以及"没有这些限制，其前面还可以用逗号隔开。

从连接的方式看，有的表示联合关系，如"和、并且"等；有的表示偏正关系，如"然而、除非、可是"等；有的既可以表示联合关系，又可以表示偏正关系，如"而"等。例如：

经验是宝贵的，而经验的获得又往往是需要付出代价的。（联合）

这里已经春暖花开，而北方还是大雪纷飞的季节。（偏正）

2. 连词和介词的区别

有的词兼属连词和介词两种功能，下面分组讨论区别的方法。

因为天下大雨，所以没有出门。（连词）

因为伊，这豆腐店的买卖非常好。（介词）

①和、跟、同、与

作为连词，它们表示并列，所连接的各部分平等，不分主次，因此可以互换位置而意思不变。比如，"他和我都去过北京"换成"我和他都去过北京"意思不变。作为介词，它们前后两部分有主次之分，不能互换。若调换位置，意思就变了。比较：

　　我和他谈过这件事。（我主动找他谈）

　　他和我谈过这件事。（他主动找我谈）

②因为、由于

二者作连词和作介词的意义相同。区别在于：作连词用时，连接的是分句；作介词用时，连接的是名词性词语。比较：

　　由于他身体不太好，老师不让他参加校运会。（连词）

　　由于健康原因，老师不让他参加校运会。（介词）

3. 连词和关联副词的区别

有些起关联作用的副词也可以用来连接分句，它们与连接分句的连词的区别是：关联副词既有关联作用，又有修饰动词的作用，因而只能出现在动词之前，不能出现在主语之前。连词只表连接，因而既可出现在主语前，也可以出现在主语后。比较：

　　他虽然没有听懂，却没有再问。

　　虽然他没有听懂，但他却没有再问。

（三）助词★

助词是附在词或词组后面表示一定结构关系或附加意义的虚词，可以分为动态助词、结构助词、比况助词和其他助词。

（1）动态助词，又称为体助词或者情貌助词，表示动作或性状的动态情况，如："了（动作完成或实现）、着（动作进行或状态持续）、过（有过某种经历）"。比较：

　　门开了，可以进去了。（动作实现）

　　他开着车，听着音乐，很是放松。（动作进行）

　　门开着，进来吧。（状态持续）

　　门开过，但是不久又关上了。（动作完成）

有时，我们要注意区分动词"过"和助词"过"，动词"过"表示空间上的跨越、越过，在读音上不可以读成轻声。助词"过"表示时间上的经历，要读成轻声。比较：

　　我爬过泰山，但没看过海。（助词"过"）

　　你爬过这座山，就可以见到那个小村庄了。（动词"过"）

（2）结构助词，表示附加语和中心语之间的关系，如："的、地、得、所"。

"的"和"地"读音都是"de"（轻声），附在修饰语后面标示前后成分之间是修饰关系，但二者有明确的分工：定语之后用"的"，状语之后用"地"。前者如"聪明的孩子"（不能写成"聪明地孩子"），后者如"仔细地看"（不能写成"仔细的看"）。"的"字还有一个用法，那就是附在实词性词语之后，组成一个可以指代事物的"的"字结构。例如，"木头的"指用木头做的物品，"便宜的"指价格便宜的东西，"骑车的"指骑车的人。"的"字结构是名词性的，在用法上大致相当于一个名词。

"得"用在动词或形容词之后，引出表示可能、状态或程度的补语，例如：

> 爬得上去（可能）

> 笑得直不起腰来（状态）

> 好得很（程度）

"所"加在及物动词头上，形成一个名词性的"所"字结构，如"所见所闻"、"所答非所问"。"所"字结构是古汉语里遗留下来的，所以多用于书面语，口语里很少用。在现代汉语里，"所"字结构单独作主语或宾语的情况已很少见，更常见的是，"所"与"的"配合使用。例如：这半年来，我们所见的，却只有他的静默而已。（朱自清）

（3）比况助词，如："似的、（一）样、（一）般"。

（4）其他助词，如："给（加强语气，口语）、连（甚而至于，夸张语气）、们（表复数）"。例如：我把房间都给收拾好了。连我也不知道这事情。同学们都走了。

▲注意：前附助词不读轻声，后附助词读轻声。

（四）语气词★

语气词通常附着在句子或者词语后面，表示句子的语气，可以用在句末以及句中，多与语调配合起来表示语气。常见语气词有"的、了、吧、呢、啊、吗"等。其中"的"表示静态的叙述语气；"了"表示动态的叙述语气；"吧"表示"不确定"语气；"呢"表示"提醒"语气；"啊"表示"舒缓"语气；"吗"表示"疑问"语气。语气词主要是用于句尾，但有时也可以用在句中，例如："这书吧，太贵了"。

六、短语分类

短语是词的组合，是意义上和语法上能搭配而没有句调的一组词。它介于词和句子之间。短语内的词语依靠一定语法手段组合成一定的语法形式，以表达一定的语法意义。汉语的短语主要有两种组合方式，一是运用语序直接组合成短语，二是依靠虚词来间接组合成短语。比较：

> 意义重大/重大意义

> 猎人的狗/猎人和狗

短语可以按照多种标准进行分类。这些分类总体上可归为以下两大视角。

第一种是内向视角，关注的是短语内部的构成成分。首先，短语根据内部成分结合的紧密程度（即凝固程度）可以分为固定短语和临时短语，前者通常是词汇学的研究对象，后者通常是语法学的研究对象。其次，短语内部成分有些是两个，有些是三个或三个以上，成分数量的不同会带来层次数量的差异；因此，按照层次数量，我们又可以把短语分为只有一个层次的单层短语（简单短语，如"态度恶劣"）和有多个层次的多层短语（复杂短语，如"态度很恶劣"）。最后，我们根据短语内部直接构成成分之间的语法关系，又可以得到短语的结构类，这是最重要的短语分类。比如，"大肚子"和"肚子大"这两个短语都是由"大"和"肚子"组合而成的单层临时短语，但结构类不同：前者为偏正结构，说的是具有"大"这一性状的肚子；后者为主谓结构，陈述了肚子大的性状。

第二种是外向视角，关注的是整个短语在更大语言单位中的功能。一方面，短语按照是否可直接加上句调成句，可以分为自由短语（如"不来"）和黏着短语（如"他的到来"）。另一方面，短语按照在更大单位中主要是作主语、宾语还是谓语可以分为体词性短语（如"大肚子、桌子上"）和谓词性短语（如"肚子疼、不来"）。

下面一一介绍短语的结构类。

（一）联合短语

联合短语由语法地位平等的几个成分组成，各成分之间存在并列、递进、选择等关系。各成分的词性一般相同，数量上可以不止两项。例如：

> 今天或明天 / 长江、黄河、淮河
>
> 讨论并且通过 / 听说读写
>
> 伟大而质朴 / 干净、整齐、明亮

从上面这些例子我们可以看出：联合短语各成分之间既可以直接组合在一起，也可以用"或""并且"、"而"等连词来组合；联合短语若是由体词性成分组合而成，则为体词性短语（如"今天或明天"）；若由动词性或形容词性成分组合而成则为谓词性短语（如"听说读写""伟大而质朴"）。

（二）同位短语

同位短语各成分不仅语法地位平等，而且所指也相同，故又名复指短语。同位短语属于体词性短语，组成成分之间不能加虚词，否则就会变成联合结构或者偏正结构。例如：

> 首都北京 / 周恩来总理 / 你们几个

（三）偏正短语

偏正短语由两部分组成，前一部分修饰、限制、说明后一部分，后一部分则被前一部分修饰、限制、说明，是整个短语的核心。前一部分称为修饰语，后一部分称为中心语。例如，"干净衣服"就是偏正短语，形容词"干净"是修饰、限制、说明名词"衣服"的，是修饰语；"衣服"则是该短语的核心，是中心语。又如，"刚来"也是偏正短语，副词"刚"是修饰、限制、说明动词"来"的，是修饰语；"来"则是该短语的核心，是中心语。

具体来看，偏正短语又可以分为定中和状中两种类型，前者的修饰语称为定语，后者的修饰语称为状语。

1. 定中结构

定中结构短语语法功能上大致相当于名词，属于体词性短语。例如：

> 她妈妈 / 白衬衣 / 木头桌子 / 北京气候 / 两位老师 / 黑白电视
>
> 学校的房子 / 红红的脸 / 不锈钢的勺儿 / 昨天的报纸 / 五百页的书
>
> 他的到来 / 图书的出版 / 房屋的扩建

第一行是不带结构助词"的"的定中短语，第二行、第三行是带"的"的定中短语。从构成上看，定语可以是名词、代词、形容词、区别词（如"黑白电视"）、数量短语等；中心语主要是名词，有时也可以是动词（如"他的到来"）。

从语义上看，有些定语表示的是中心语所指对象的领属（如"她妈妈"），有些表示的是处所或时间（如"北京气候""昨天的报纸"），有些表示的是数量（如"两位老师"），有些表示的是质料或属性（如"木头房子"、"黑白电视"）。当多个定语层层修饰中心语时，一般跟中心语关系越密切，离中心语就越近，从构成角度看大致遵循以下序列：表领属词语＋时间、处所短语＋指示代词、量词短语＋动词性短语、主谓短语＋表质料、属性（范围）的名词或动词。例如：

（他）的（一件）（刚买）的（新）（羊皮）夹克也拿来了。

其中的量词短语容易造成歧义，例如：

两个朋友送的小花瓶。 朋友送的两个小花瓶。 / 两位朋友送的小花瓶。

▲注意：有些定语是限制中心语，整个短语所指对象是中心语所指对象中的一部分，如"老师的书"指的是属于老师的那部分书，因为"被老师领有"只是某一部分书的属性；有些定语是描写中心语，整个短语的所指在外延上等于中心语的所指，如"弯曲的山路"说的是所有山路，因为弯曲是山路的共有属性。因此，有些定中短语会有歧义，如"勤劳的农民"的所指既可以是所有农民，也可以是只是其中具有"勤劳"这一属性的那部分农民。

2. 状中结构

状中结构短语语法功能上大致相当于动词、形容词，属于谓词性短语。例如：

正在看书 / 都来 / 不去 / 怎么回来 / 这么宽 / 三尺宽 / 在食堂吃 / 向他学习

仔细地听 / 亲切地说 / 叽叽喳喳地叫

第一行没有带结构助词"地"，第二行带结构助词"地"。从构成上看，状语可以是副词、代词、拟声词、数量短语、介词短语等，中心语主要是动词和形容词。

从语义上看，有些状语表示的是中心语所指动作或性状相关的时间或处所，有些表示的是动作的方式（如"仔细地说"）、范围（如"都来"）、相关对象（如"向他学习"）。当多个状语层层修饰中心语时，一般跟中心语关系越密切，离中心语就越近，从构成角度看大致遵循以下序列：时间＋处所＋语气＋范围＋否定＋情态（方式）＋与事。例如：

许多代表（昨天）（在休息室里）（都）（热情地）（同他）交谈。

▲注意：状语也有限定性和描写性之别。其中描写性状语在语义上既可以指向所修饰的中心语，也可以指向相关名词性成分。例如：他很（高兴地）在黑板上（圆圆地）画了一个圈。其中："高兴"描写的是"他"，"圆圆"描写的是"圈"。

（四）主谓短语

主谓短语由主语和谓语两部分组成，两者构成陈述关系。主语是陈述的对象，一般也可看作话题；谓语是对主语所提出的对象加以陈述，或说明主语干什么，或说明主语怎么样，或说明主语是谁、是什么。一般主语在前，谓语在后。例如："他去、那鞋好看、心情舒畅、张三是学生、今天星期一。"

从外部功能看，主谓短语属于谓词性短语，一般加个句调就可以成为句子。从构成上看，谓语一般由动词、形容词等谓词性成分充当，但在一定条件下也可以由体词性成分充当（如"今天星期一"）。

　　根据主语和谓语之间的语义关系，主语可以分为施事主语、受事主语和当事主语。施事主语表示动作的发出者，是最典型的主语，如"他来"中的"他"；受事主语表示动作的承受者或针对者，如"窗花剪好了"中的"窗花"；当事主语指动作或性状的系属者，无所谓施受，如"我们丢了两只羊"、"他流下眼泪"、"外伤容易感染"中的"我们"、"他"、"外伤"。

（五）动宾短语

　　动宾短语（又名述宾短语）属于谓词性短语，它由动语（述语）和宾语两部分组成，两者之间构成支配关系。动语表示的是动作，一般由动词或以动词为中心的谓词性成分充当，例如："想他"、"买三碗。"

　　宾语表示的是受动作支配或影响的对象，经常由体词性成分充当，但有时也可以是谓词性成分，例如："看打球、爱干净、觉得不舒服、希望他来。"

　　根据动语和宾语的语义关系，宾语可以分为受事宾语、施事宾语和当事宾语。受事宾语表示动作的承受者或针对者，是最典型的宾语，如"踢足球"中的"足球"；施事宾语表示动作的发出者，多为不定指，如"来客人"、"飘着白云"中的"客人"、"白云"；当事宾语表示动作或性状的系属者，如"弯着腰"的"腰"。

（六）中补短语★

　　中补短语（又名述补短语、动补短语）属于谓词性短语，它由中心语和补语组成，前者表示动作或性状，多由动词或形容词充任，是整个词组的核心；后者则补充说明前者，可由谓词性词语、数量短语、介词短语等充当。谓词性词语有些需添加"得"，数量短语、介词短语则直接和中心语组合。

　　具体来看，按照补语与中心语的语义关系，可以把补语划分成以下七类：

　　1. 结果补语：表示动作结果，多数是形容词，少数是动词。补语语义有多种指向，常见的有指向施事（或施事的一部分）、受事以及动作本身三种情况。比较：

　　　　我吃饱了。（指向施事或施事的一部分）

　　　　我吃光了。（指向受事）

　　　　我吃好了。（指向动作本身）

　　2. 程度补语：表示动作达到的程度，多为"极、很、透、慌、死、坏"等，语义指向谓语中心。例如：

　　　　他痛快得很。／我痛快极了。／他坏透了。／这儿闹得慌。／他激动得跳了起来。

　　3. 状态补语：表示动作的状态，或性质呈现出的状态，必须有"得"或"个"。例如：

　　　　那阵雨来得猛，去得也快。／雨下个不停。／急得一身汗。

　　4. 趋向补语：由趋向动词充当，表示动作或者事物的方向，引申后可以表示动作的体貌。例如：

　　　　跳上车。／跑出去了。／笑起来。（引申为开始）／说下去。（引申为继续）

　　5. 数量补语：由数量短语充当，表示动作的频次、持续时间等。例如：

　　　　看了三遍。／看了三个小时。

6. 时间、处所补语：表示动作发生或终止的时间或处所，多为介词短语。例如：

这事情发生在 1988 年。/ 他生在北京，长在武汉，最后死在上海。

7. 可能补语：表示动作的可能与否。中心语多为动词，也有少量形容词。例如：

洗得干净。/ 洗不干净。

▲注意 1：状态补语和可能补语的肯定形式可能同形，必须细心区分。

状态：写得好→写得好不好→写得真好

可能：写得好→写不写得好 / 写得好写不好→写得很好。

▲注意 2：多层补语连用，结果补语最靠近中心语，其次是处所补语和数量补语，最后是趋向补语。分析时按照由远及近原则。例如：

打倒在地上。/ 走向溪边去。/ 打退了敌人两次。

▲注意 3：补语和宾语有三种排列顺序，例如：

拿出笔。/ 拿笔来。/ 拿出笔来。

▲注意 4：区别补语和宾语的方法：(1)语义区别，可用"怎么样"提问的是补语，可用"什么"提问的是宾语；(2)"得"字结构是补语，"的"字结构是宾语。

（七）其他短语

以下短语成分间的语法关系比较特殊，一般都含有一个由特殊词类充当的成分。

1. 连动短语和兼语短语

连动短语由多个谓词性成分构成，这些成分之间没有语音停顿，也没有虚词，连动短语中所表示的多个动作行为由同一主体发出，例如"小明写信告诉他"里的"写信告诉他"就是连动短语，其中"写信"和"告诉他"所指的行为都是由小明发出的。

兼语短语（又名递系短语）包含三个部分：第一个和第三个都是谓词性成分，第二个部分则为体词性成分，它是前一个谓词性成分的宾语，同时又是后一个谓词性成分的主语。如"请他来一下"就是一个兼语短语，其中的"他"既是"请"的宾语，又是"来一下"的主语。

连动短语和兼语短语都含有两个谓词性成分，均属于谓词性短语，区别在于：前者两个谓词性成分语义上指向同一个主语，后者则语义上指向不同的主语；后者两个谓词性成分之间还含有一个兼作宾语和主语的体词性成分。

2. 方位短语、量词短语

方位短语和量词短语都属于体词性短语。其中，方位短语的后一个成分是方位词，可以表示处所、时间、范围等。例如：

屋子前面 / 放学后 / 一米以内

量词短语由两部分构成：前一个是数词或代词，后一个是量词。因此，量词短语可以进一步细分为数量短语和指量短语。例如：

两个 / 三遍 / 这件 / 那次

前两个是数量短语，后两个是指量短语。

3. 介词短语

介词短语的前一个成分是介词，它属于谓词性短语，主要作状语，少数可以作补语或定语。例如：

<u>用大碗</u>盛汤 / <u>走向</u>胜利 / <u>朝东</u>的侧门

4. 助词短语

助词短语的其中一个成分由助词充当，按照具体所用的助词，可以分为"的"字短语、"所"字短语、比况短语等。其中：有些助词短语是体词性短语，如"的"字短语和"所"字短语；有些助词短语是谓词性短语，如比况短语。例如：

卖菜的 / 所见 / 木头似的

前两个是体词性短语，后一个是谓词性短语。

七、句子分类

句子是最小的表达单位，按照语气或交际功能可以划出不同的句子类别（即句类），按照内部结构则可以划分出不同的句子类型（即句型）。句型中的动词谓语句还可以分出一些特殊句式。下面分别加以介绍。

（一）句类

1. 陈述句

陈述句是叙述或者说明事实、具有陈述语调（即降调）的句子。具体又可以分为肯定句和否定句（含双重否定句）。比较：

他可能来。

他可能不来。

他不可能来。

他不可能不来。

2. 疑问句

疑问句是有疑问语调、表示提问的句子。疑问句有些是有疑而问，称为询问句；有些是无疑而问，称为反问句。比较：

A：谁知道这件事情？ B：我。（询问句）

A：你这么懒，还有谁会愿意帮你？好自为之吧。（反问句）

A：下雨了，他还会来吗？ B：会的。（询问句）

A：关系都僵成这样了，他还会来吗？ B：那又不是我一个人的错。（反问句）

根据形式特点，又可以把疑问句分成是非问句、特指问句、选择问句和正反问句。

是非问句一般是对整个命题的疑问，回答只能对整个命题进行肯定或否定，可以是"好、有、行、对"等肯定形式，也可以是"不、没有、不行、不对"等否定形式。在是非问句中，句末可以出现"的、了、吗、吧、啊"等语气词，也可以不带任何语气词，直接由一个陈述句直接带上疑问语调而成。例如：

你是中国人吗？

今天有课吧？

你也知道啊？

他昨天来的？

你吃了饭了？

我们什么地方都可以去？

特指问句含有疑问代词，通常是以此来指示疑问点，希望对方针对疑问点作出回答，句末语调多用升调，语气词可用"呢、啊"等，但不能用"吗"。例如：

谁要来？

我应该穿什么衣服呢？

明天早上什么时候出发啊？

选择问句用复句结构提供不止一个选择项，要求听者作出选择，多用"是、还是"等连词，常用的语气词是"呢、啊"。例如：

你去还是我去？

你要可乐呢，还是咖啡？

到底你是领导还是我是领导啊？

正反问句通常由谓语的肯定形式和否定形式并列而成，由听者选择其中之一作答。例如：

你来不来？

你看不看电影？

你喜不喜欢？

你是不是已经结婚了？

▲注意："NP+呢"多数情况下是特指问，少数情况是正反问。如：

我买两个，你呢？ —— 你买几个呢？ / 你买不买？

3. 祈使句

祈使句是要求对方做或不做某事的句子，语调为降调，结构比较简短，常常省略主语。按照祈使语气的强弱可以分为命禁句和请劝句。

命禁句带强制性，口气强硬坚决，结构简短，语调急促下降，一般不用语气词。例如：

快走！／别动！

请劝句语气相对平和，肯定句常用语气词"吧"（商量语气）或"啊"（敦促语气），否定句常用语气副词"甭"、"不要"、"不用"、"别"和语气词"了"、"啊"。比较：

您喝吧，赵大爷！

您喝啊！

你别去啊！

你还是别去了。

说呀，为什么不说呢？说吧！

4. 感叹句

感叹句是表达说者强烈感情的句子，语调多为降调。常用"多、多么、太、真"等副词帮助表达感叹语气，有时候用叹词表达感叹语气，句末语气词则一般用"啊"，也可以不用句末语气词。例如：

多么好的一幅画啊！

哎呀！我的老天爷呀！

为重逢干杯！

（二）句型

句子首先可以分成单句和复句。单句是由单个词直接带上句调或句内词语互做句法成分的短语带上句调而成的句子。复句则由两个或两个以上意义上密切相关、结构上互不包含的单句形式的分句组合而成。下面分别介绍单句和复句的具体句型。

1. 单句句型

单句按构成分可先分为主谓句和非主谓句：由主语和谓语两部分构成的单句叫做主谓句，分不出主语和谓语的单句叫做非主谓句。

主谓句按照谓语构成可以分为以下四类：

①动词谓语句：动词性词语充当谓语，如：他到北京了。

②形容词谓语句：形容词性词语充当谓语，如：他的话很简洁。

③名词谓语句：名词性词语充当谓语，只能是肯定句和口语句式，多说明天气、时间、籍贯、年龄、容貌等。如：

今天星期六。/ 今天晴天。/ 他已经五十岁了。/ 这本书新买的。

今天不是星期六。今天不星期六。（×）

④主谓谓语句：主谓短语充当谓语。句首主语称为大主语，短语的主语称为小主语。如：

这件事我不赞成。（受事主语＋施事主语）

他什么酒都尝过。（施事主语＋受事主语）

他眼睛熬得通红。（大主语和小主语有广义领属关系）

这孩子，我也疼他。（受事主语＋施事主语，受事主语有代词复指）

一个边防军人，他时刻准备为边关奉献一切。（施事主语＋复指代词）

这个问题，我们讨论过好多次了。（大主语暗含介词"对/对于/关于"）

非主谓句按照谓语构成可以分为以下五类：

①动词性非谓语句，这种句子并不是省略了主语，而是主语不需补出，或者无法补出，例如："下课了。/ 出太阳了。/ 反对本本主义。/ 有人来过这儿。"

②形容词性非谓语句通常由一个形容词或形容词性短语形成，例如："对！/ 好！/ 太妙了！"

③名词性非谓语句由一个名词或名词性偏正短语形成，例如："蛇！/ 小王！/ 多么壮丽的山河啊！"

④叹词句由叹词形成，例如："嗯！/ 喂！"

⑤拟声词句由拟声词形成，例如："哗哗！"

2. 复句句型

复句由多个分句组合而成，各分句之间的关系有时用关联词语表示，这叫关联法，书面语多用此法;有时不用关联词语表示,这叫意合法,口语多用此法。关联词语多数是连词,也有少量是起关联作用的副词(如"也"、"就")。

具体来说,我们可以先按照组合层次的数量把复句分为单层复句和多层复句。单层复句按照分句间的意义关系可以分成联合复句和偏正复句,下面分别介绍这两类单层复句。

1. 联合复句

联合复句又可以进一步分为并列、顺承、递进、选择和解说五类。

(1) 并列复句的前后分句分别描述有关联的几件事情或同一事情的几个方面。常见的关联词语有:既……又(也)……/又(也)……又(也)……/有时……有时……/一方面……另(又)一方面……/一边……一边……/一面……一面……/不是……而是……/是……不是……/也/又/同时/同样/另外/而/而是。并列复句的分句往往可以变换次序。比较:

江水很深,水流很急。

水流很急,江水很深。

(2) 选择复句各分句分别说出几种情况,要求从中选择。常用的关联词语有:或者(或、或是)……或者(或、或是)……/是……还是……/不是……就是……/要么……要么……/与其……不如(无宁、宁肯、还不如、倒不如)……/宁可(宁、宁肯、宁愿)……也不(决不、不)……/或者(或、或是)/还是/还不如(倒不如)。例如:

他每天不是睡觉,就是玩电脑。

宁愿站着死,也不跪着生。

(3) 顺承复句也叫承接复句,前后分句按照时间、空间或逻辑上的顺序说出连续的事件。常见的关联词语有:首先(起先、先)……/然后(后来、随后、再、又)……/刚……就……/一……就……/就/又/再/于是/然后/后来/接着/跟着/继而/终于。例如:

他先睡了一会儿,然后就又接着工作了。

他回到家,拿出成绩单,递给了妈妈。

(4) 递进复句后一分句的意思往往比前一分句进了一层。常见的关联词语有:不但(不仅、不只、不光、非但)……而且(还、也、又、更、就连)……/不但(不但不、非但没)……反而(反倒还、相反还、偏偏还)……/尚且……何况(更不用说、还)……/别说(慢说、不要说)……连(就是)……/而且/并且/况且/(更)何况/甚至(于)/更/还/反而。例如:

他不但聪明,而且也很勤奋。

这么恶劣的环境,大人尚且受不了,何况孩子?

(5) 解说复句的分句间有总分、解释或说明关系。常见的关联词语是:即/就是说/那就是。(标点符号":""——"也有一定的标识作用)例如:

对自己,学而不厌,对别人,诲人不倦,我们应取这种态度。

当面说得好听,背后又在捣鬼,凡是两面派都是这么干的。

2. 偏正复句

偏正复句可以进一步分为转折、因果、目的、假设和条件五类。

（1）转折复句的后一个分句和前一个分句在意义上呈现出对立关系。常见的关联词语有：虽然（虽是、虽说、虽则、虽、尽管、固然）……但是（可是、然而、但、却、还、也、而）……/虽然/但（是）/然而/可（是）/却/只是/不过/倒。例如：

　　这件衣服是很漂亮，可是太贵了。

　　他是弟弟，倒长得比哥哥还高。

（2）因果复句的偏句说出原因或理由，正句表示结果。常见的关联词语有：因为（因、由于）……所以（才、就、便、故、于是、因此、因而、以致）……/既然……那么（就、又、便、则、可见）/（是）因为/（是）由于/所以/因此/因而/以致/致使/从而/既（然）/就/可见。例如：

　　既然你不爱他，就不应该跟他结婚。

　　因为他老是迟到，所以老师决定找他好好谈谈。

（3）目的复句的偏句说明要达到的目的，正句说明达到这一目的所采取的行动。常见的关联词语有：以/以便/以求/用以/借以/好/好让/为的是/以免/免得/省得/以防。例如：

　　他这么做，为的是留住你。

　　多穿点儿衣服，以防感冒。

（4）条件复句的偏句提出条件，正句说出结果。常见的关联词语有：只要（只需、一旦）……就（便、都、总）……/只有（唯有、除非）……才（否则、不）……/无论（不论、不管、任、任凭）……都（总、总是、也、还是）/便/就/才/要不然。例如：

　　只要你有足够资金，这笔生意一定能做成。

　　不管气候多么恶劣，我们都要准时完工。

（5）假设复句的偏句提出一种假设，正句说出按这种假设所推出的结论。常见的关联词语有：如果（假如、假使、假若、倘若、倘使、若是、若、要是、万一）……就（那么、那、便、则）……/即使（就是、就算、纵使、纵然、哪怕、再）……也（还）/也/还。例如：

　　如果他不来，那这会议就开不成了。

　　即使再有钱，也不能这么大把地乱花。

（三）几种动词谓语句式

有几种动词谓语句式是现代汉语句法学习中的重点和难点，因此在这里集中加以介绍。

1.“把”字句：介词“把”引出受事的主动句。意谓：施事对受事施加某种影响，进行处置，促使受事产生某种结果或发生某种变化。只有部分“把”字句可以转换为相应的常规主动句。比较：

　　狼把羊咬死了。→狼咬死了羊。

　　他把火生好了。→他生好了火。

　　他把炉子生上了火。→他生上了炉子火。

　　你介绍介绍他的情况。→你把他的情况介绍介绍。（比较：你把他的情况介绍。）

“把”字句的主要特点是：动词（V）不能是光杆动词，前后总有别的成分（X），或者自身进行重叠（如上例的"介绍介绍"）；"把"后宾语（O）定指，是已知信息；谓语动词一般具有处置性；"把"字短语和动词之间一般不能加能愿动词、否定副词。其基本结构可以形式化表示如下：

主语＋"把"＋"把"字宾语＋谓语动词＋其他成分（S＋把＋O＋V＋X）

具体来看，所谓的"其他成分（X）"可以是补语、动态助词"了、着"（动态助词"过"很少用于"把"字句）、间接宾语等。例如：

> 他把杯子拿走。（补语）
>
> 你把衣服洗干净。（补语）
>
> 他们把我关了三天。（补语）
>
> 他把东西扔在床上。（补语）
>
> 我昨天把工作辞了。（"了"）
>
> 你应该把这件事情告诉他们。（间接宾语）

2. "被"字句：介词"被（给／让／叫）"引出施事的被动句，属于受事主语句。"被"字句表示受事受到施事的某种影响，被迫产生某种结果或发生某种变化，一般是不如意的结果或变化。例如：

> 杯子被我打破了。
>
> 杯子让我给打破了。
>
> 一切困难都将被全国人民所战胜。
>
> 他被选举为村长。
>
> 他家被人偷走了三只小鸡。（间接受事）

"被"字句的特点是：动词后总有别的成分，动词一般不能单独出现。（动补式动词可以单独出现，如"延长"）；受事主语定指，是已知信息；谓语动词一般具有处置性；能愿动词、否定副词只能在"被"字短语前。

3. 连谓句：连谓短语充当谓语或者独立成句的句子，只有一个主语，但却有两个谓语，一般按照时间顺序排列。例如：

> 他骑车去商店买吃的了。
>
> 他看书看累了。

4. 兼语句：兼语短语充当谓语或者独立成句的句子。例如：

> 老师鼓励学生学好功课。
>
> 我感谢你告诉我这个好消息。
>
> 他有个妹妹在上学。
>
> 轮到你值班了。

5. 双宾句：谓语中心带两个宾语的句子。一个宾语指人，一般靠近谓语中心，中间无语音间歇，叫做近宾语（间接宾语）；另一个宾语指物，一般远离谓语中心，前头可以有语音间歇，叫做远宾语（直接宾语）。双宾句的谓语中心具有转移义，表明施事（主语）将受事（直接宾语）转移给与事（间接宾语）。言语类双宾句表示将信息转移给与事，称呼类双宾句表示将某种名称赋予与事。例如：

> 我给他一本书。（两种分析法：二分法或者多分法）
>
> 我告诉他一个消息。
>
> 我叫他小张。

6. 存现句：是表示什么地方存在、出现或消失了什么事物。句首一般是处所词语，而宾语则是表示存现的主体，一般不是定指成分。谓语动词可以是"有"和"是"，如：

> 屋顶上有个人。（存现句）（比较："有一个人站在屋顶。"是兼语句）
>
> 学校旁边是一条大马路。（存现句）（比较："他是学生。"是判断句）

也可以是"坐"、"躺"、"停"、"挂"、"放"等表示位置变化的动词，比较：

> 主席坐在台上。→台上坐着主席。（存现句）
>
> 有个人躺在床上。→床上躺着个人。（存现句）
>
> 很多车子停在马路上。→马路上停着很多车子。（存现句）
>
> 画挂在墙上。→墙上挂着画。（存现句）
>
> 家具摆满了屋子。→屋子摆满了家具。（存现句）
>
> 有五只小鸟停在树上。→树上停着五只小鸟。（存现句）

需要注意的是，"是"字存现句和"有"字存现句有个区别：前者说的是某空间只存在某实体，后者则只说明某空间存在着某实体，并不说明它是唯一的存在。比较：

> 书里是汉字。
>
> 书里有汉字，也有英文。

7. 比较句：汉语比较句的形式主要有两种，一种是运用"大于、高于"之类的"于"字动词，另一种是运用介词"比、跟"等。例如：

> 稿子的总字数不能少于一万字。
>
> 他比我高多了。
>
> 小王的水平跟我差不多。

八、句法结构分析 ★★

短语和句子都是句法结构，其组成成分分别称为短语成分和句子成分，合起则可统称为句法成分。句法成分共有九种，即：主语、谓语、动语、宾语、中心语、定语、状语、补语和独立语，其中只有独立语是句子层面才出现的句子成分。

当面对复杂的短语和句子时，我们往往需要对其进行细致的分析才有可能准确把握其内部结构关系，从而深刻理解其所表达的意义。下面我们用具体例子来演示如何分析短语、单句以及复句的结构层次。

（一）中心词分析法和层次分析法

1. 中心词分析法

中心词分析法主要用于分析单句，其操作程序和标识方法如下：

（1）先找句子主语、谓语（动语）、宾语的中心词（主体词），分别用"＿＿"、"＿＿"、"﹏﹏"三种线条标识，主语和谓语之间用"‖"划开，谓语和宾语之间则用"｜"划开。

（2）再找定语、状语和补语这三种修饰成分,分别用"（ ）"、"〔 〕"、"〈 〉"三种括号标识。助词、连词、语气词一般可不考虑。例如：

同志们 ‖〔已经〕准备〈好〉了 |（旅行）的干粮。

从上面的例子中我们可以看出,中心词分析法能比较简洁生动地展现句子的主干,但是却无法具体展示各成分之间组合的先后顺序。对于这一局限,我们可以运用层次分析法来加以克服。

2. 层次分析法

层次分析法又叫做直接成分分析法（Immediate Constituent,IC 法）或者二分法,不管是用于分析句子还是短语都很有效。该分析法虽然在操作上比中心词分析法繁琐,但有利于展现句法结构的层次,尤其适用于分析一些由层次不同造成的歧义短语。

具体来说,层次分析法的基本原则如下：

①层层二分,每层标明语法关系（偏正关系要标明是定中还是状中）；

②每次划分出的成分之间都要存在语法关系,所有切分出的成分必须是词或者短语（短语省略形式也可以）,即必须是有意义的语言形式。

③成分的组合义要符合整个句法结构体的意义。

如果所划分的对象是一个各种句法成分都出现的句子,我们可以先把独立语和句调拿掉,只需对剩下的短语部分进行结构分析。例如：

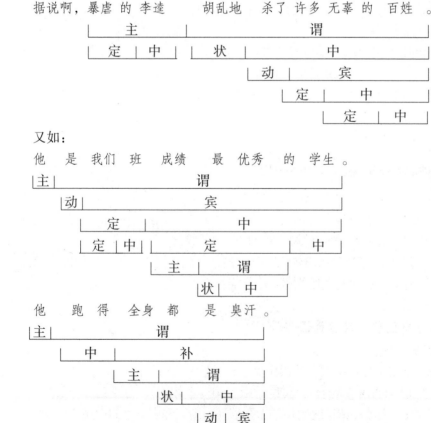

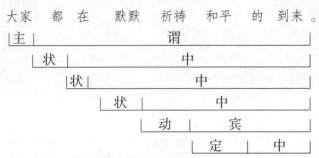

（二）歧义短语的层次分析

歧义短语是含有多个意义的短语，实际上是同形异构短语或者同构异义短语。造成短语歧义的原因主要有三种：语法关系的不同、层次关系的不同以及语义关系的不同。

1. 层次相同，语法关系不同，例如：

2. 层次不同，语法关系也不同，例如：

"两个工厂的劳模"、"他和你的同学"、"对售货员的意见"、"讨厌酗酒的女人"等短语也是这种情况，大家可以自己试着进行层次分析。

3. 语义关系不同，语法关系和层次关系相同，这时层次分析法无法揭示短语的歧义原因，必须从语义上分析各成分之间的关系。例如：

语义关系：①反对这一动作的施事是张主任；②反对这一动作的受事是张主任。

▲注意1：层次分析中，助词、连词、语气词等一般也不用去管。但"的"字结构后若没有出现中心语则在层次分析中需要考虑助词"的"，如上例的"反对的"。

▲注意2：歧义与语义模糊、语义笼统的区别——歧义可以用语境消除，而语义模糊不可以（如"新""旧"之间的模糊）；语义笼统源于语义概括性，而歧义与语义概括性没有直接联系，检验是歧义还是语义笼统的方法就是看由同一个笼统语义构成的并列结构是否可以成立，能则为语义笼统，否则就是歧义。

▲注意3：歧义在理解上有难易程度的区别，这与各种解释的相对使用频率密切相关。如果各种解释的使用频率很接近，那就很容易察觉歧义（如：咬死了猎人的狗）；如果其中有些解释使用频率很低，那就不容易察觉歧义。（如：饺子包好了。）

当然，有些短语的歧义可能同时由两种或三种关系的不同所造成。例如：

演　好　戏　　　　　　　　　演　好　戏

|动|宾　　|　　　　　　|动|宾　　|

　|定|中　|　　　　　　　　　|中|补　|

语义关系:"好"修饰"戏"　"好"修饰"演"

咬了猎人　的狗　　　　　　咬了猎人　　的狗

|动|宾　　　　|　　　　　|定　　|中　　|

　|定　|中　　|　　　　|动　　|宾　　|

语义关系:狗是咬的受事　　狗是咬的施事

(三)多重复句的层次分析

上面短语和单句的层次分析,最终是分析到词或固定短语为止。这里要介绍的多重复句的层次分析,则最终是分析到分句为止。下面我们用具体例子来演示具体的操作过程。

①你做事总是欠考虑,│结果事情虽然办得够快,‖但效果都不怎么理想。
　　　　　　　因果　　　　　　　　　转折

②儒家极其重视"忠恕"之道,│"忠"是反身而诚,‖‖而非对君王的盲目效忠;‖"恕"
　　　　　　　　　　　解说　　　　　　　并列

是推及他人,‖‖而非宽容他人的过失而已。
　　　并列　　　　　　　并列

③生活是一张网,‖哪里都觉得有约束和限制,‖‖同时哪里都觉得有漏洞和机会,│所以,
　　　解说　　　　　　　　　　并列　　　　　　　　　　因果

我们应该学会戴着镣铐跳舞,‖而非奢望绝对的自由。
　　　　　　　并列

九、常见句法错误★★

(一)单句句法错误

1.搭配不当

(1)主谓搭配不当,如:

　　误:鸽子长途飞行,是经过主人长期训练而获得的。

　　正:鸽子长途飞行的能力,是经过主人长期训练而获得的。

　　误:这样的诗吸收了南朝诗歌的描绘细腻、声调流利的优点。

　　正:这样的诗吸收了南朝诗歌的描绘细腻、韵律和谐的优点。

　　误:他的话明确和简单。

　　正:他的话明确而易懂。

(2)动宾搭配不当,★如:

　　误:五月底的会议上,大家研究了目前应加强图书馆的建立。

　　正:五月底的会议上,大家研究了目前应加强图书馆建设的问题。

　　误:同学们很快掌握和提高了外语单词和翻译能力。

　　正：同学们很快掌握了外语单词并提高了翻译能力。

　　误：他不顾危险，勇敢地抢救战友的生命安全。

　　正：他不顾危险，勇敢地抢救战友的生命。

　　误：这一年来，长沙市教育局采取各种办法，努力培养和提高中青年教师的业务
　　　　水平，收到了很好的效果。

　　正：这一年来，长沙市教育局采取各种办法，努力提高中青年教师的业务水平，
　　　　收到了很好的效果。

（3）定状补与中心语搭配不当，如：

　　误：他想到了自己刚刚的那些话，心里也很后悔。

　　正：他想到了自己刚才的那些话，心里也很后悔。

　　误：他的脸越发清瘦得很了。

　　正：他的脸越发清瘦了。

　　误：他把房间打扫净了。

　　正：他把房间打扫干净了。

（4）主宾搭配不当，如：

　　误：显然，摆在翻译工作者面前的任务就是如何提高翻译工作质量的问题了。

　　正：显然，摆在翻译工作者面前的任务就是如何提高翻译工作的质量了。

　　误：我觉得这个答复，和对这些问题的调查处理，都是一种不负责的态度。

　　正：我觉得这个答复和对这些问题的调查处理都是不负责任的表现。

2. 成分残缺

（1）主语残缺，★如：

　　误：通过这次学习和讨论，使我们一致认为我国社会主义正处在一个新的历史发
　　　　展时期。

　　正：通过这次学习和讨论，我们一致认为，我国社会主义正处在一个新的历史时期。

　　误：小刘干活速度快，质量好，经她焊接的集装箱产品，从未出过废品，一再被
　　　　评为先进工作者。

　　正：小刘干活速度快，质量好，经她焊接的集装箱产品，从未出过废品，她一再
　　　　被评为先进工作者。

（2）谓语残缺，如：

　　误：他根据各方面资料，一本详细的计划书最终展现在领导面前。

　　正：他根据各方面资料制定出一本详细的计划书，并把它展现在领导面前。

　　误：曹雪芹在《红楼梦》中的宝玉和黛玉，是一对敢于追求爱情、具有反叛思想
　　　　的青年。

　　正：曹雪芹在《红楼梦》中塑造的宝玉和黛玉，是一对敢于追求爱情、具有反叛
　　　　思想的青年。

(3) 宾语残缺，如：

　　误：根瘤菌具有从空气中吸取固定氮，并将其作为养料提供给作物。

　　正：根瘤菌具有从空气中吸取固定氮的功能，并将其作为养料提供给作物。

　　误：该厂引进了具有 90 年代中期国际先进水平的日本 50 铃 N 系列轻型卡车，成为国内第一家合资生产 50 铃 N 系列轻型卡车的厂家。

　　正：该厂引进了具有 90 年代中期国际先进水平的日本 50 铃 N 系列轻型卡车生产技术，成为国内第一家合资生产 50 铃 N 系列轻型卡车的厂家。

(4) 定状补残缺，如：

　　误：这个带形的草原，是基密尔大岭山洪冲击成的一条不十分规则的河流，叫基密尔河……年深日久，冲积成厚厚的土层……於成了一片大大小小的沼泽地，遍生着芦苇乌拉草。

　　正：这个带形的草原，原来是基密尔大岭山洪冲击成的一条不十分规则的河流，叫基密尔河……年深日久，冲积成厚厚的土层……於成了一片大大小小的沼泽地，遍生着芦苇乌拉草。

　　误：为确保大熊猫入港随俗，科研人员专门安排它们接受语言训练，提升普通话、广东话和英语的能力，为在香港定居做好准备。

　　正：为确保大熊猫入港随俗，科研人员专门安排它们接受语言训练，提升普通话、广东话和英语的接受能力，为在香港定居做好准备。

3. 成分多余

(1) 主语有多余成分，如：

　　误：我们三年级的同学，在上课时候，一般地说，我们都能认真听讲，遵守课堂纪律。

　　正：我们三年级的同学，在上课时候，一般地说，都能认真听讲，遵守课堂纪律

(2) 谓语有多余成分，如：

　　误：按照民主程序，他们选出了自己信任的镇长，负责掌握管理全镇的行政事务。

　　正：按照民主程序，他们选出了自己信任的镇长，负责掌管全镇的行政事务。

(3) 宾语有多余成分，如：

　　误：我们不知不觉就走了十里路左右的距离。

　　正：我们不知不觉就走了十里路左右。

(4) 定状有多余成分，如：

　　误：一年多来，妇女工作已经打下了相当的工作基础，取得了丰富的经验。

　　正：一年多来，妇女工作已经打下了相当的基础，取得了丰富的经验。

　　误：欢迎领导到我校光临指导。

　　正：欢迎领导光临指导。

(5) 补语有多余成分，如：

　　误：《人民日报》社论见诸于各大报刊。

　　正：《人民日报》社论见诸各大报刊。

4. 语序不当

（1）定中位置颠倒，如：

　　误：一阵急促的敲门声打破了宁静的夜晚。

　　正：一阵急促的敲门声打破了夜晚的宁静。

（2）定语错置于状语位置，如：

　　误：夜深人静，想起今天一连串发生的事情，我怎么也睡不着。

　　正：夜深人静，想起今天发生的一连串事情，我怎么也睡不着。

（3）状语错置于定语位置，如：

　　误：在社会主义建设中，应该发挥广大知识分子充分的作用。

　　正：在社会主义建设中，应该充分发挥广大知识分子的作用。

（4）多层定语语序不当，如：

　　误：她是一位优秀的国家队的有二十多年教学经验的篮球女教练。

　　正：她是国家队的一位有二十多年教学经验的优秀的篮球女教练。

（5）多层状语语序不当，如：

　　误：许多老师昨天都热情地同他在休息室里交谈。

　　正：许多老师昨天在休息室里都热情地同他交谈。

5. 句式杂糅

（1）两说混杂，如：

　　误：小说《吕梁英雄传》的作者是马烽、西戎合写的。

　　正：小说《吕梁英雄传》的作者是马烽、西戎。或

　　　　小说《吕梁英雄传》是马烽、西戎合写的。

（2）前后牵连，如：

　　误：客房部均设有闭路电视、国际国内直拨电话、音响、酒吧等应有尽有。

　　正：客房部均设有闭路电视、国际国内直拨电话、音响、酒吧等。或

　　　　客房内部闭路电视、国际国内直拨电话、音响、酒吧等应有尽有。

（二）复句句法错误

1. 结构混乱，层次不清，如：

　　误：我看了《抓壮丁》这部讽刺喜剧片以后，揭露国民党反动派残害人民的罪恶非常深刻，对国民党反动派感到极大的愤慨。

　　正：《抓壮丁》这部讽刺喜剧片，揭露国民党反动派残害人民的罪恶非常深刻，看了以后，我对国民党反动派残害人民的罪恶感到极大的愤慨。

2. 分句关系不密切，如：

　　误：这部作品虽然写的是农民，但却深刻地表达了广大农民的愿望。

　　正：这部作品描写了农民的生活，深刻地表达了广大农民的愿望。

3. 关联词错用，★如：

　　误：只有努力学习，就能取得好成绩。

　　正：只有努力学习，才能取得好成绩。

备考习题

1. 词类是词的语法性质的 _____。

2. 在"他迟早会知道这件事儿的"这句话中,"迟早"的词性是 _____。

3. 在"这溶液带酸性"这句话中,"酸性"的词性是 _____;而在"他得了慢性肝炎"这句话中,"慢性"的词性是 _____。

4. 句子根据语气可以分成 _____,根据结构可分成 _____。

5. "算起来,我已经有五年没见到他了"中的"算起来"这类成分叫做 _____,它跟句中其他成分没有 _____,位置比较 _____。

6. 把短语分成主谓、述宾、偏正等类别,主要根据是 _____。
   A. 短语的语法功能　　　　　　　B. 短语内部的结构层次
   C. 短语内部的结构关系　　　　　D. 短语内部成分结合的松紧程度

7. 下列各动宾短语中动宾的语义关系为"动作——结果"的是 _____。
   A. 晒衣服　　　　B. 刷油漆　　　　C. 跑材料　　　　D. 包饺子

8. 下列句子属于存现句的是 _____。
   A. 有个村庄叫吴老庄　　　　　　B. 把花种在院子里
   C. 桌子都放在教室里　　　　　　D. 座位上放着红色的大衣

9. 下列各组动词中,不能带宾语的是 _____。
   A. 旅行、结婚　　　　　　　　　B. 明白、喜欢
   C. 知道、觉得　　　　　　　　　D. 开始、进行

10. "大家在一起整整生活了两个月"这个句子中的"一起"是 _____。
    A. 名词　　　　B. 副词　　　　C. 数量词　　　　D. 形容词

11. 形容词与副词的主要区别在于 _____。
    A. 形容词可以作状语　　　　　　B. 形容词可以修饰动词
    C. 有的形容词可以重叠　　　　　D. 形容词可以作谓语

12. "他会英语"、"他会说英语"和"他会来的"中的三个"会"字的词性分别是 _____。
    A. 动词、助动词、助动词　　　　B. 助动词、动词、动词
    C. 助动词、助动词、动词　　　　D. 动词、助动词、动词

13. 从表达功能和句法形式两个角度看,"我们班同学谁都想去吗?"这个问句属于 _____。
    A. 询问句、特殊问句　　　　　　B. 反问句、特殊问句
    C. 反问句、是非问句　　　　　　D. 询问句、是非问句

14. 指出下面画线词的词性。
    a. 两个人过日子,哪有不磕磕碰碰的呢?
    b. 王教授去过欧洲。

15. 下列两个句子在语法和语义上有什么差异?
    a. 他幸亏来了。
    b. 幸亏他来了。

16. 指出下列词组的结构类型。
    (1) 窗前 (2) 看门的 (3) 校长陆晨 (4) 发自内心 (5) 当他醒过来的时候
    (6) 有事找你 (7) 派他去 (8) 小声说

17. "没有钱"和"没有去"中的"没有"有什么不同?"没有研究"中的"没有"属于
    哪个"没有"?试加以分析并说明理由。

18. 分析"吃米饭"和"吃食堂"在语法和语义上的异同。

19. 指出下列句子中补语的语义类型。
    (1) 战士们眼睁睁看着一夜的心血,不过一顿饭的工夫,就被毁得<u>干干净净</u>,都
        气愤万分。
    (2) 人们都知道自己<u>生在何时</u>,却不知道死<u>在何方</u>。
    (3) 月亮升起来,院子里凉爽得<u>很</u>,干净得<u>很</u>。

20. 运用句子成分分析法(中心词分析法)分析下列句子。
    (1) 温暖的阳光渐渐地洒满了绿草覆盖的大地。
    (2) 谁也赢不了和时间的比赛。
    (3) 铃木是我们班口语最好的学生。

21. 用直接成分分析法(或称层次分析法)分析下列短语或句子。
    (1) 一篇理论联系实际的好文章
    (2) 很有水平的科学家
    (3) 她累得腰都直不起来了。
    (4) 那些科学家已经设计好了解决这个问题的方案。
    (5) 以对老人的态度如何作为处理的根据。
    (6) 两位老师的风格确实不一样。
    (7) 我们也经常跟老师讨论这类问题。

22. 用直接成分分析法(或称层次分析法)分析下列歧义短语和句子。
    (1) 关心孩子的母亲
    (2) 张三和李四的妈妈得到了奖金。
    (3) 三个孩子的妈妈得到了奖金。
    (4) 我讲不好。

23. 指出下列复句的连接关系。
    (1) 无论如何,我也要去。
    (2) 与其扬汤止沸,毋宁釜底抽薪。

24. 分析下面复句的层次和关系。
    (1) 他就是再聪明,没有克服困难的勇气,不肯付出努力,也是不会成功的。

（2）只要你坚持体育锻炼，你的身体就会逐渐好起来，因为体育锻炼能增进人们的健康。

25. 改正下列句子的语法错误并说明理由。

（1）那里的农民很淳朴，很友谊我们。

（2）我的同屋大学毕业以后打算结婚一个中国姑娘。

（3）我们在教学中一定要提倡普通话。

（4）我的汉语水平比以前差不多。

（5）我今天要把这些水果吃。

（6）实行科学的管理后，工人减少了一倍，生产效率反而提高了两倍。

（7）这个问题我考虑考虑一会儿。

（8）老师建议李勇代表全班同学给边防战士写了一封慰问信。

（9）热烈庆祝朝阳区妇女代表大会即将召开。

（10）尽管学习怎么忙，他每天还是坚持体育锻炼。

（11）他把这些酒能喝得完。

（12）一闭上眼睛，我就好像看见他们发光的眼睛，充满朝气的脸和响亮动听的声音。

（13）当我在沉思的时候，特别不希望有人打扰。

各章备考习题参考答案

绪论

1. 普通话、北京语音、标准音、北方话、基础方言、典范的现代白话文著作、语法规范、普通话。　2. 吴方言、赣方言、客家方言、粤方言。

第一章　语音

1. 气流不受阻碍，气流受阻碍。

2.[n]　3.[y]　4.C　5.D　6.C　7.B　8.D　9.D　10.B　11.B

12. "吃饱"读成"qībǎo"，辅音声母的发音部位发错了，把舌尖后送气塞擦音发成了舌面送气塞擦音。

13.（1）发音方法相同，都是擦音；发音部位不同，前者是唇齿音，后者是舌根音；(2)发音部位相同，都是唇音；发音方法不同，前者是不送气清塞音，后者是鼻音；(3)舌位相同，都是舌面后、半高元音；唇形不同，前者是不圆唇元音，后者是圆唇元音；(4)两韵母都以 a 为韵腹，以鼻音为韵尾；韵尾的发音部位不同，前者是舌尖中音，后者是舌根音。

14.（1）改为"hé"。普通话中，韵母"o"只拼唇音声母。(2)改为 jǐ。普通话中，舌根声母只能拼开口呼和合口呼，不能拼齐齿呼和撮口呼。(3)改为"pó"。普通话中，韵母"uo"只拼非唇音声母。(4)改为 jiāng。j 是舌面前音声母，普通话中只能与齐齿呼、撮口呼韵母相拼，不能与开口呼、合口呼韵母相拼。ang 是开口呼，与声母 j 相拼的是介音为 i 的齐齿呼韵母 iang。(5)改为 lóng。ueng 只能独立成音节，和辅音声母相拼的韵母是 ong。此处与声母 l 相拼的韵母应是 ong。

15.（1）"高"调值 55，调类阴平；"明"调值 35，调类阳平；(2)"说"调值 55，调类阴平；"话"调值 51，调类去声。

16.（1）yǎnyuán；(2) yí'àn。(3) kuīxīn；(4) huàr。

17.（1）wānyán；(2) zhàopiānr；(3) kòng'é；(4) huíliú。

18.（1）piāo, piǎo；(2) hé, hè。

19. 均是三个上声字连读，其中："好雨伞"是"单双格"，前两个上声音节分别变为"21＋35"；"展览馆"是"双单格"，前两个上声音节均变调为阳平。

20. 普通话的声母共有 21 个，按发音部位的不同可以分为七类，即双唇音 b、p、m；唇齿音 f；舌尖前音 z、c、s；舌尖中音 d、t、n、l；舌尖后音 zh、ch、sh、r；舌面音 j、q、x；舌根音 g、k、h。

21. 普通话的舌面单韵母有七个：舌面、央、低、不圆唇元音 ɑ；舌面、后、半高、圆唇元音 o；舌面、后、半高、不圆唇元音 e；舌面、前、半低、不圆唇元音 ê；舌面、前、高、不圆唇元音 i；舌面、后、高、圆唇元音 u；舌面、前、高、圆唇元音 ü。

22.（1）西安 xī'ān　　　　　（2）回流 huíliú

　　（3）因为 yīnwèi　　　　　（4）篝火 gōuhuǒ

　　（5）平安 píng'ān　　　　　（6）酝酿 yùnniàng

　　（7）亲家 qìngjia　　　　　（8）凤凰 fènghuáng

　　（9）天津 tiānjīn　　　　　（10）一会儿 yīhuìr

23. 这三个音节的韵母分别是：-i[ʅ]（知），舌尖后、高、不圆唇元音；-i[ɿ]（资），舌尖前、高、不圆唇元音；-i[i]（机），舌面、前、高、不圆唇元音。

国际音标：zhi（知）：[ʅ]；zi（资）：[ɿ]；ji（机）：[i]

24.“去啊”的“啊”读 [ia] 增音。

　　“看啊”的“啊”读 [na] 同化。

　　“哭啊”的“啊”读 [ua] 同化。

　　“纸啊”的“啊”读 [a] 或 [ŋa] 同化。

　　“唱啊”的“啊”读 [ŋa] 同化。

音变的原因：普通话里的语气词“啊”的读音由于受到它前面音节收声的影响，产生各种不同的语音变化。

第二章　汉字

1. 隶书　2. 会意　3.C

4.（1）一部；（2）大部；（3）斤部；（4）羽部；（5）月部；（6）八部。

5.（1）7画；（2）5画；（3）7画；（4）6画；（5）6画；（6）5画；（7）5画；（8）6画；（9）11画。（笔顺略）

6. 象形：舟、子、旦、瓜；指事：甘、本、刃；

　　会意：从、武、看、苗、尘、益、甭；

　　形声：辫、闻、阁、剔、勇、忍、恭。

7. 汉字的结构形式可分为两种：独体和合体。象形、指事字多是独体字；会意、形声字多是合体字。如：日、月、上、下是独体字，景、岩、江、河是合体字。

8.“形”指的是表示字义类属的偏旁，“声”指的是表示字音的偏旁。从汉字部位系统的角度看，“形”和“声”的配合主要有六种方式：

　　左形右声，这一类数量最多。如：“河、梧、堆、挑、锡”等。

　　右形左声。如：“都、切、劲、攻、战”等。

　　上形下声。如：“芳、竿、宇、窃、爸”等。

　　下形上声。如：“勇、型、袋、姿、架”等。

　　外形内声。如：“囤、围、匣、裹”等。

　　内形外声。如：“问、闻、瓣、辨”等。

9.“休”与“沐”的造字法分别是会意和形声。

　　“闯”与“问”的造字法分别是会意和形声。

　　“明”与“晴”的造字法分别是会意和形声。

"益"与"盆"的造字法分别是会意和形声。

10. 双、乐、盐、范、叹、难;毕、尘、秽、沈、丰、边;劝、摆、怜、欢、厉、蛮;导、胜、灿、碍、头、县;誉、洒、兽、凭、伙、衅;卫、护、才、击、丛、炉。

11. 面、夜、妒、裤、柏、杯、捶、考、灾、吊。

12. 源、蛊、惨、制;炙 茵、釜、及;瘁、鸠、辄、戮;屈、和、瑕、宏;跋、倒、炮、鹜;殚、馨、事、厉;鸳、班、部、悖;贻、其、惮、待;敝、妆、筹、辑;萃、绌、心、生;致、创、碎、州、赃、暄、坐。

第三章 词汇

1. 成词语素、不成词语素 2. 12、8;7、7 3. 4(老、师、视、机) 4. 词义缩小
5. 词义扩大 6. 词义转移

7. B 8. D 9. A 10. C 11. B 12. B 13. B 14. C 15. B 16. A 17. C 18. D

19. (1)词、语素。(2)音节、语素。

20. 花儿、鸟儿、头儿;乱子、旗子;老乡、老师、老虎;老头、木头。

21. 支配式、补充式、陈述式、补充式、并列式、陈述式、附加式、支配式;补充式、支配式、陈述式、补充式、并列式、单纯词、补充式、并列式;陈述式、支配式、偏正式、单纯词、偏正式、补充式、并列式、偏正式。

22. (1)中的"会"的意思是"领会",(2)中"会"的意思是"会议",(3)中"会"的意思是"掌握"。"领会"、"掌握"是多义动词"会"的两个义项,这个"会"与"会议"表示的名词"会"构成同音词关系。

23.

	[同胞]	[男]	[年长于"我"]
哥哥	+	+	+
弟弟	+	+	−
姐姐	+	−	+
妹妹	+	−	−

注意:义素均要标上 [ ],只取对立特征中的一个即可,如"男女"只取"男"或者"女";共同特征要最能体现这种词的共同点, 如 [同胞] 优于 [亲属], [亲属] 优于 [人]。

24. (1)"交往"改成"往返",因为"交往"所指动作的施事一般是人,并且"交往"这个动词后面不能直接跟介宾短语。

(2)"尖利"改成"尖锐",因为"尖利"一般用于形容刀等工具,不能用于形容抽象的事物。

25. (1)三者语体色彩不同。"夫人"是书面语,"老婆"是口语,"妻子"是口语、书面语通用。

(2)两者程度不一样。"显著"程度深,"明显"程度浅。

(3)三者语体色彩不同。"美丽"是书面语,"好看"是口语,"漂亮"是口语、书面语通用。三者搭配范围也不同。"美丽"既可以形容具体事物,也可以形容抽象事物,"好看"和"漂亮"只能形容具体事物。

（4）"兴趣"主要表示对事物，对人喜好的态度、情绪，这种态度、情绪主要来自事物、人对感受者的吸引；"乐趣"指使人感到快乐的意味，"兴趣"可作宾语，"乐趣"不可以作宾语。

26. （1）不能，"再"用于表达未发生动作的重复，"又"用于表达已发生动作的重复。

（2）不能，"往往"是对以往事件规律性或习惯性的总结，不能用于将来时。

（3）"逐步"表示有阶段性的质变，所以不能用于形容天色的渐变过程。

（4）提问的数量大时要用"多少"，提问的数量小时要用"几"；"全国几亿个家庭一年所节约水"的吨数很大，所以要用"多少"提问，不能换成"几"来提问。

（5）"以为"是纯粹主观的臆测，"认为"是有根据的推测；句中"经过周密的论证"表明"我"的看法是相当有根据的，所以其中的"认为"不能换成"以为"。

（6）第一个"能"可以换成"会"，因为"会"也可以表示具备某种能力；第二个"能"不能换成"会"，因为表示做某工作达到某种效率，可以用"能"，不能用"会"。

（7）不能，"偶尔"是副词，不能受程度副词"很"修饰，不能在"是……的"句中作谓语。

（8）不能，"关于"构成的介词短语作状语时，只能位于句首，不能位于句中。

（9）不能，"急忙"是副词，不能受程度副词"很"修饰。

（10）不能，选择问句连词可以用"还是"，不能用"或者"。

27. 音译外来词：巴黎、穆斯林、法老、克隆、绷带、酷、味美思；音译兼意译外来词：新西兰、霓虹灯；音译加意译外来词：T恤衫、坦克车、芭蕾舞；字母外来词：CT、MTV。

28. 览①　　人②　　徘③　　缔①　　蝴③　　浏①
火②　　葡③　　森①　　蛛①　　院①　　蜘③

29. 同音词是语音相同而意义之间并无联系的词。汉语同音词产生的原因是：（1）语音偶合，汉语汉字数量多，但汉语普通话音节数量少，会造成语音相同。（2）历史音变。在历史上本来不同音的词，随着语音的发展演变成为同音。（3）词义分化造成。

30.

	从上到下或从外到里的距离	感情	知识、问题等	时间	颜色
深	大	深厚	深奥	长	浓
浅	小	浅	浅显	短	淡

第四章　语法

1. 聚合类　2. 副词　3. 名词、区别词　4. 句类、句型　5. 独立语、组合关系（结构关系）、自由

6. C　7. D　8. D　9. A　10. A　11. D　12. A　13. D

14. 动词、动态助词。

15. 从语法层面来看，a句状语"幸亏"位于主语后、谓语动词"来"前，b句状语"幸亏"则位于句首；从语义层面来看，a句所表事件"他来"的受益者只能是主语"他"所指对象，b句的受益者则不定，既可以是主语所指对象，也可以是其他对象。

16. 方位短语、的字短语、同位短语、中补短语、介词短语、连动、兼语、状中。

17. "没有钱"中的"没有"是动词,否定事物"钱"的存在;"没有去"中的"没有"是否定副词,否定动作"去"的发生。"没有研究"中的"没有",其具体词性要视"研究"的词性而定:如果"研究"是名词,"没有"则是动词;反之,如果"研究"是动词,"没有"则是否定副词。

18. 共同之处:从语法层面看,两者都是动词"吃"后面跟上一个名词;从语义层面看,两者都是在描述"吃"这个动作及其相关事物。区别之处:从语法层面看,"米饭"是动词"吃"的宾语,两者构成动宾短语,"食堂"是动词"吃"的补语;从语义层面看,米饭是动作"吃"的受事,而食堂则是动词"吃"发生的处所,所以"吃米饭"可以变换成"把米饭吃了",不能变换成"在米饭吃",而"吃食堂"则可以变换成"在食堂吃",但不能变换成"把食堂吃了"。

19. (1)结果补语 (2)时间补语;处所补语 (3)程度补语

20. 略。 21. 略。 22. 略。

23. 条件、选择。

24.
　　他就是再聪明, ｜ 没有克服困难的勇气, ‖‖ 不肯付出努力, ‖ 也是不会成功的。
　　　　假设　　　　　　　　　　并列　　　　　　　　假设
　　只要你坚持体育锻炼, ‖ 你的身体就会逐渐好起来, ｜因为体育锻炼能增进人们的健康。
　　　　条件　　　　　　　　　　　　因果

25. (1)"很友谊我们"改成"对我们很友好"。动宾搭配不当,将名词"友谊"错用成了及物动词。

(2)"结婚一个中国姑娘"改成"与一个中国姑娘结婚"。动宾搭配不当,将不及物动词"结婚"错用成了及物动词。(将"结婚"改成"娶"亦可)

(3)"普通话"前补上动词"讲"或"说"。动宾搭配不当,"提倡"后面要接谓词性宾语。

(4)"比"改成"跟"。搭配不当,介词"比"不能和"差不多"之类表形状相近的形容词搭配。

(5)"吃"后面加"了"。成分残缺,"把"字句作谓语的不能是光杆动词。

(6)"一倍"改成"一半"。"倍"只能用于数量增加,不能用于数量减少。

(7)删除"一会儿"。句式杂糅,"考虑"重复,表示的就是"考虑一会儿"的意思。

(8)删除"了"。动宾搭配不当,"建议"后面宾语小句所表事件应该还未发生。

(9)删除"即将"。动宾搭配不当,"庆祝"后面宾语小句所表事件应该业已发生。

(10)"尽管"改成"不管"。关联词错用,"尽管"不能和"还是"搭配使用。

(11)"能"移到"把"前,删除"得"。语序不当,"把"字句添加"能愿"动词,只能添加在"把"前,不能添加在谓语动词前。

(12)"响亮"前添加"听见"。动宾搭配不当,"声音"不能和"看见"搭配。

(13)删除"当"。主语残缺。

责任编辑：墨　言
封面设计：夏陶然
印刷监制：汪　洋

图书在版编目（CIP）数据

现代汉语科目认证指南 / 华建光，刘振平编著 . —北京：华语
教学出版社，2010
　　ISBN 978-7-80200-986-8

　　Ⅰ.①现⋯　Ⅱ.①朱⋯　Ⅲ.①汉语－现代－对外汉语
教学－教师－资格考核－自学参考资料 Ⅳ.① H195.4

中国版本图书馆 CIP 数据核字（2010）第 137851 号

现代汉语科目认证指南

华建光　刘振平　编著

＊

© 华语教学出版社有限责任公司

华语教学出版社有限责任公司出版
（中国北京百万庄大街 24 号　邮政编码 100037）
电话 :(86)10-68320585　68997826
传真 :(86)10-68997826　68326333
网址 : www.sinolingua.com.cn
电子信箱 : fxb@sinolingua.com.cn
北京密兴印刷有限公司印刷
2010 年（16 开）第 1 版
2018 年第 1 版第 15 次印刷
ISBN 978-7-80200-986-8
定价 : 25.00 元